ちくま新書

芸術人類学講義

鶴岡真弓 編
Tsuruoka Mayumi

1481

芸術人類学講義【目次】

はじめに――「芸術人類（マン・オヴ・アート）」

鶴岡真弓

今からおよそ四万年前、世界最古の動物彫刻が、現生人類の手によって創られました。「ライオン・マン」。

「ライオン・マン」とはその像につけられた名です。南ドイツ、ホーレンシュタイン山のシュターデル洞窟から二〇世紀後半に発見されたそれは、頭部はライオン、身体はヒト。遥か先史時代、北ヨーロッパにもユーラシアにも、ホラアナ・ライオン（学名：パンテラ・スペラエア）が生息していたことは知られており、材料はマンモスの象牙です。

「ライオン・マン」後期旧石器時代　ドイツ出土

ヒトとライオンを合体させ、現実にはありえないハイブリッド・フィギュアを表現したこれは、ラスコーの壁画よりも古く、人類の手になる最古級「芸術」であることが判明しています。近年、大英博物館の「神とともに生きる」展の目玉として登場し、新たな注目を浴びました。

それにしてもアルプス以北の寒冷地で、石のナイフでわざわざ象牙を彫りあげ、なぜこのような像を造ったのか。おそらく共同体を束ねる権力者やシャーマンなどの存在を強い動物で表し、なんらかの威力を表そうとしたのかも知れません。しかしそうした「目的」があったとしても、その目的を越えたところに、私たち人間が理屈では説明できない「何か」を感じるのが、芸術・表現・アートの不思議な特質です。

現代でも、数万年前でも、作品（アートワーク）とは、最終的に「何のため（What のレベル）」ではなく、「如何（How のレベル）」で造られ、その生きられた時空で、人々に如何に感得された（される）のかが要（かなめ）です。実際この「ライオン・マン」は威嚇のためのツールであることを超えています。恐ろしそうな第一印象を与えつつ、よく見れば口元には意味ありげな笑い。何かを聴こうとしてはっきりと立てられた両耳。何よりも全身がピカピカに磨かれていたことなど。仰ぎ見るうちに、やがて神々しいもの、幸福を呼ぶもの、怖れを乗り越えて獲得できる安寧（あんねい）など、何か「よきもの・よきこと」を太古の作者と人々は享受したのではないか。祀（まつ）られたと想像できるこの像は、「作品」の品／質からそれを推量させます。

ところで「芸術」がもたらす不思議な力について、古代ギリシャの哲学者アリストテレスはその『詩学〈作る技術〉』（第九章）に記しました。
歴史家と芸術家の違いは、散文で書くか韻文で書くかの違いではなく、歴史家は「実際に起こった出来事」を語るのに対して、詩人（芸術家）はこれから「起こるであろうような出来事」を語るのだと。[1]

人間が「芸術」を享受するという経験には、既に起きた個別の事ではなく、それを超える「普遍的なもの」に触れられる、という、他になき、わくわくする歓びと、さらなる思考の誕生が伴っていることを、古代の哲人は見抜いたのです。アリストテレスのいうこれから起こりそうなこととは何でしょうか。それは佳き芸術に触れると、たとえそれが「磔刑」や「崩落」など悲愴な主題を扱っていても、マレーヴィッチの真っ黒に塗り潰された画面にでも、ヒトはそこに「希望」や「期待感」を抱ける、魔法のような力が沸き立つということです。いやそれは決して魔法ではなく、現実を契機にそこからより普遍化する技をもつ芸術によって――事後的にではなく、――来るべき「未生のなにものか」を、何度でも経験できるということです。

いいかえれば、芸術に触れる歓びが思惟や感動を呼び起こす理由は、私たちヒトの感受性と認識力に関係していると考えられます。私たちは現実を前にしながらも、現実そのものには十全に触れることができない生きものです。そもそも一生かけても自分自身について解明できないのと同じように、私たちは「頭上の青空」を仰ぐことはできても、それを摑むことや、その未知を全部知ることはできません。しかし「描かれ歌われ躍動する青空」、つまり絵や映像やダンスによって表現された「青空」——たとえばゴッホの糸杉とともに渦巻く大空——を見たり聴いたりするとき、青空の真理（根源の意味）が、私たちに向かって「到来する」のです。歴史家が書いたきのうまでの事後からではなく、「未生の現在」から。

本書がこれから協働で論じていく「芸術人類学」の多彩な講義は、人類が数万年以上にわたって持続させてきた「芸術という驚異」を、石器時代にもルネサンス時代にもあった常なるコンテンポラリー（「同時代の」の意）の時空を横断・往還し、「根源からの思考」を探究し掘り起こしていきます。

†「芸術／人類学」から「芸術人類／学」へ

まず本書が示していく「芸術人類学」とは何でしょうか。それは、社会／文化人類学の分科、サブ・フィールドとしての学問ではないということが肝心です。従来行われてきた人類学（者）による芸術の研究は「アート・オヴ・アンソロポロジー（人類学からみた芸術）」でした。それに対して「芸術人類学／アート・アンソロポロジー」は、人類学の方法に学びつつもその傘下においてではなく、近代の芸術文化研究を深化させる方法論で、「人類の芸術」を総合的に研究する学問（ディシプリン）です。

そもそも本書は次の大前提から出発します。

従来の「人類学」では人類を、トータルな「マン（ラテン語「ホモ」）」として捉えてきました。また西洋伝統の「美術史学・美学」では、中世キリスト教社会の信仰から自由となったルネサンスと、大航海時代以降の近代経済システムの主人公を「人間／ヒューマン」として捉えてきました。ヒューマニズムは西洋文明の成熟のしるしでした。

しかし私たちは、「マン」でもなく、「ヒューマン」でもなく、新たに人類・人間を、「芸術人類／マン・オヴ・アート」として捉えるところから出発します。レオナルド・ダ・ヴィンチが単なる「マン」ではなく、西洋近代に誕生した「ヒューマン」でもなく、思惟し制作する「マン・オヴ・オールマイティ（全能のヒト）」と呼ばれ、優れた「マン・オヴ・アート（芸術人類）」であったようにです。

その意味で私たちの「芸術人類学」とは、人類を「芸術人類」として捉えなおす方法において、「芸術／人類学」ではなく、厳密には「芸術人類／学」の推進といえます。

では、そもそも「芸術（学）」と「人類学」をクロスさせる意義はどこにあるでしょうか。

†「人類学」を超えて

　西洋近代に生まれた芸術研究の伝統には、（1）人類学によって「非・西洋世界」に発見された「民族芸術」の研究と、（2）西洋中心の作品を研究する美術史学の蓄積があります。ヨーロッパに成立した（2）の芸術研究の伝統は、イタリア・ルネサンスを夜明けとし、近代では一八、一九世紀以来、美術史学・美学・芸術学・博物館学・芸術批評・キュレイトリアル等が並行して方法論を培ってきました。

　一方、近代科学として一九世紀に確立された（1）の「人類学」は「人類に関する総合的研究」です。「人類学／アンソロポロジー」とはギリシャ語源の「アントロポス（ヒト）」と「ロゴス（学＝論理的に記述する方法）」から成る術語で、①生物としての人類を研究する「自然人類学」と、②文化的側面から明らかにする「文化人類学」とに分けられますが、アメリカで用いられる「文化人類学」の名称は、ヨーロッパ、主にイギリス・フランスでは「社会人類学」と呼ばれます。アメリカ人類学の父フランツ・ボアズ（一八五八－一九四二、序章・第二章参照）に始まる総合性を打ち出した新大陸の文化人類学は、早期から「自然人類学・考古学・文化人類学・言語学」も積み込み船出したのです。

「人類学」は一九世紀に成立していった近代諸科学／学術――先史考古学、言語学、民族学、宗教学、神話学、民俗学、心理学、地理学等――と隣接しながら構築されてきました。その中で従来の「人類学における芸術の研究」は、「民族芸術」を含む「非・西洋芸術」の研究と定義されてきました。人類の社会・慣習と同様に芸術も初期の共同体の未開状態から、西洋文明の高みへと発展してきたという科学（進化論）から、人類学は出発したからです。

　このような「人類学」による芸術研究は、自らそのパラダイムを更新してきました。しかし人類学はオープンな学問にみえますが、根本的には西洋からみた「他者」の「文化」（「文明」ではない：序章参照）を研究することが出発点にあり、近代における、その「人類学的な世界観」の下では、私たち「日本（人）」も「アジア・アフリカ・オセアニア・古代南北アメリカ」という外部に浮かぶ、極東の列島の紛れもない遠くの「他者」でした。西洋の方法論を導入し、西洋の学知を助けとして「文明化」したかにみえる日本（人）も、その他の非西洋の民族とともに、近代「人類学」の光と影のなかに置かれていました。しかしその陰影を経験した者たちこそは、現代世界に人類の今と未来を新生させる叡智（えいち）を授けられているともいえます。それは支配欲によって「他者」を「自己」に回収してしまう方法ではなく、他者との邂逅（かいこう）から新たなヴィジョンを創造する方法を編み出すことです。

　そのひとつとして一九八〇年代半ばから欧米の芸術研究では文理を横断し、伝統的制度を脱却するためのチャレンジがなされました。『美術史の終焉』（一九八五年）で衝撃を与えたドイツ人ハンス・ベルティンク（一九三五－）は、その後「イメージ・メディア・身体」をめぐる言説（『イメージ人類学』二〇〇一年）を問い、フランスでは一九九〇年代からコレージュ・ド・フランスにおいて「イメージの歴史人類学」も試みられます。「人類学とシュルレアリスム」の芸術家が「他者」の領域へ自らフィールドワークをした歴史の再発見もおこなわれています。いずれにしてもこれらの試みは「ヨーロッパ（人）によるアート・ヒストリーの呪縛」を乗り越える試行であり、自らの西洋美術史年表を反故にして、人類が創出するイメージ／アート論へと越境しようとするものです。

一方、二〇〇〇年代からアメリカでは「人類学的民族誌」からの解放として、クリフォード・ギアツ（一九二六－二〇〇六）の「解釈人類学」等を見直し、「人類学と芸術」の双方向的方法論が提言され、若い世代が「芸術の人類学&人類学の芸術」の関係を生み出す実践として、開かれた「文化システムとしての芸術」の再構築を、芸術学と人類学の協働で探っています。

ではさらに私たちの方法の特異点とは、何でしょうか。

冒頭に触れたアリストテレスの芸術への洞察を応用すれば、「歴史家は過去だけについて書くが、芸術（家）は来るべき時を拓く」といえます。観察者が物事を整理して「事後に」文字で記録する方法に対して、同じ観察者でも芸術家は霊感を受けた経験を新たに作品として産出します。人類学は未知の社会へ踏み入り、民族学の方法で、言語に還元してきましたが、いわゆる「民族誌的転換」の流れの中、文字によるテキストに容易に反映できない複雑なイメージ表現と多様な視覚的リテラシーの再発見を試みています。調査行にアーティストが参加すれば、絵画・彫刻・デザイン・映像・音楽……等を想像力豊かに再創造でき、そこに芸術（学）と人類学が出会う空間が生まれます。表現の営みは、人間と外界との絶えざる相互作用を映し出し、変化を続ける動的な生命システムとしてのアート思考を浮かび上がらせる作業です。

したがって私たちは、歴史家のように、芸術の「形成」とその「完成」にのみ向かうベクトルを辿るのではありません。その「誕生（発生）・成長・展開」と合わせ鏡で反転する「喪失・崩落・死滅」までを辿り、現代を見舞う様々な「終焉」を起爆として、「芸術的人類」の「循環的流転」を探究し、芸術という複雑な組織が発現させるダイナミズムを捉えます。

本書のめざす「根源からの思考」とは「序章」に示す通り、現在の人類が先史に「戻る」旅を意味しているのではありません。そうではなく、レヴィ＝ストロースに倣えば、「廃棄された過去」を蘇らせ、「歴史的なものと構造的なもの」の交点に意味を解読し、現在を照らす実践です。[2]

　廃棄されたかにみえた「根源的なもの」は、集団や個人の特別な聖なる場所に記憶されているとともに、日常において、ふと立ち寄ったアート・ギャラリーでも経験されます。途切れのない創造と芸術的思考。その螺旋運動を記述することが、「芸術人類／学」の意義です。

「芸術」とは、私たち人類、「マン・オヴ・アート」の、容易には見えない意識下の「綾(あや)成(な)し」が姿を変えながら、「未だ来ないもの」、「未来」を創造してきたものであるからです。芸術とその思考は、どのような障害にあっても放棄されたことはなく、かの『詩学』の示唆に沿って言えば、常に「わくわくと」、「未生の現在」に湧きあがるものだからです。

　それでは以上を踏まえて、「序章」では、改めて学びのための四つのキーワード、すなわち、①「人類」とは誰か？　②「芸術」とは何か？　③西洋発祥の「人類学史」とは？　④「芸術人類学」の挑戦とは？　を簡潔に示しましょう。そして協働で連鎖する「実践講義」へと進みましょう。

1　アリストテレス『詩学』、三浦洋訳、光文社古典新訳文庫、二〇一九年、七〇頁

2　クロード・レヴィ＝ストロース『今日のトーテミスム』仲澤紀雄訳、みすず書房、二〇〇〇年［原著：一九六二年］、一七三頁

序　章

「芸術人類」の誕生

——「根源からの思考」

鶴岡真弓

1　生命の「臨界」と芸術の「根源」

†「人類」とは誰か

「巨人の肩にのる小さきヒト」

大銀河に喩(たと)えられる、長大な人類史の流れの「先端(エッジ)」に、現代人は生かされています。いつの時代でも、どの瞬間でも、人類(マン)は、そうであったように。私たち、現代を生きる者は「人類史」のいま・こ・こ・を授かっています。

いいかえれば、私たちは、ギリシャ神話の「巨人」オリオンの、塔のように高い肩にのる「小さきヒト」として、行く先を眺望できる幸運な最先端にいるということです（図0-1）。

冒頭の成句は、近代科学者ニュートン、またそれ以前に、中世一二世紀シャルトルの学者ベルナルドゥスが広めたといわれる西洋の有名な金言です。しかしこの「巨人の肩にのる小さきヒト」とは、単に現代人の幸運や人類史の進化を、楽観的に示しているものではありません。ベルナルドゥスに代わって後代にこれを伝えたソールズベリーのヨハネスも、次のように解釈しています（「メタロギコン」第三巻、第四章）。

> シャルトルのベルナルドゥスは、われわれはまるで巨人の肩に坐った矮人のようなものだと語っていた。すなわち、彼によれば、われわれは巨人よりも多くの、より遠くにあるものを見ることができるが、それは自分の視覚の鋭さや身体の卓越性のゆえではなく、むしろ巨人の大きさゆえに高いところに持ち上げられているからである[1]

図0-1 「巨人の肩にのる小さきヒト」15世紀ドイツの写本（部分）

ここで「古代人」を、知恵ある先人の総体としての「人類」に置きかえることもできます。きのうまでの人類が「見てきたもの」と、「今こそ見えるもの」とが連繫されなければ、肩の上からでも、来るべき未来は眺望できない、ということを深く示唆しているのです。

これはいいかえれば、人類史という大いなる連繫・協働・持続において、私たち近代的人間もまた、「人類自身」以外の何者でもないのだという、根源からの声として聴くことができます。レオナルドもモーツァルトもピカソも皆そうでした。先史の「彼ら人類」は、実は先史と連綿と繫がっている現在の「私たち人類」であるということです。

ここでさらに巨人の肩にのる小さきヒトである私たち現代の人類には、気づかされることがあります。実はギリシャ神話では、この巨人は長い生を生きてきたために目が不自由でした。その負傷・不自由には、地上に生きるヒトとして、抗することのできなかった定め、不可抗力の経験が無数にあった、あるという真実が表象されているのかも知れません。とともに、その無力を経験した巨人、すなわち人類の心の目には、再び立ち上がるための、輝く水晶のレンズが内在されていると想像してみましょう。

人類史の「いまここ」に至るまでには、数十万年以上にわたり数限りない困難の跡がみつかります。が、同時に人類による無数の工作・創造の跡、「芸術」が発見できます。「芸術」と「芸術的思考」は、大自然の脅威と災いに晒(さら)されながらも、時空を超えて生き残り、人類の手による「作物(プロダクション)」として、今私たちの目の前にあり、先端部から刻々と生まれています。「人類が育んできた芸術」は、また「芸術に育まれた人類」を生んできたといえます。

では、改めて「芸術」とは何でしょうか。

†「アルス」と「芸術」

現代人が用いている「アート art」はラテン語の「アルス ars」が語源ですが、元々は「アルス＝アート」という概念は、狭義の「芸術」や「美術(ファイン・アート)」だけを指すのではなく、医術、土木技術など人間が為すあらゆる「技／術」を指していました。また中国の『後漢書』(五世紀 南北朝時代)でいう「藝術」が「学問と技藝」を表していたように、ラテン語の「アルス」、ギリシャ語の「テクネー technē」はそうしたより広い意味を担っていました。

人間が造るものは、星のまたたくさまや、森のそよぎや、鹿の走りなど、「自然物」にどれほど肉薄しても、それらは「自然そのもの」ではなく、自然から恵まれた素材を、思惟のもとに人類・ヒトが吟味し、みずから構成し工作して「創る」豊かな「仮象」です。

「創」という漢字の右のつくりの部分は、ヒトが道具でひたすら「削るさま」を意味しているように、それは工作の成果としてあります。

ヒトの為す「あらゆる術（アルス）」。それを分かりやすく説いているのが、良く知られる箴言（アフォリズム）「アルス・ロンガ、ウィータ・ブレウィス（Ars longa, vita brevis）」です。もともとは古代ギリシャの医者ヒポクラテスの言葉といわれ、「医術（技術）を身につけるには長い時がかかる、しかし人生は短かすぎる」という意味です。「アート」の概念の出発点には、学術・医術・技術・武術などすべての「術」が含まれていたのでした。

では「芸術」は、ほかの「術」と何が異なるのでしょうか。「芸術」を「技術」と対比すると、緊急を要する外科的医術や、洪水を防ぐ応急の土木技術は「目の前の生命時間」に貢献します。一方、こうした一刻を争うサイエンス＆テクノロジーの使命に対して、「生きとし生けるもの」の目前の困難だけではなく、人類が歩んできた時間のレンジで、生死を見つめ工作・産出されるものとその営みを「芸術」と呼び区別できます。

奇跡的な生還をもたらす心臓外科医の技もまた、「生命」という、常に私たちに「差し迫っている」主題に挑む点では芸術です。しかしなお、芸術は地上の物理（フィジカルなもの・肉体的なもの）を遥かに超えて、最も「ロンガ＝長き」ものに関わる、耐久的な「術性」をもつのです。それは有限の時間を超えていく「呪／術性」「魔／術性」にも通じていることでしょう。芸術にそなわるこの超脱性を、ヒポクラテスは医術と芸術の意識から示唆したのかも知れません。

さてこのように「芸術」は、目前のみを救済する使命を超え「人類史」のなかに生起・循環してきました。すなわち「生きとし生けるもの」の限りある生に、限りない時空をもたらそうとする大いなる営みが「芸術」と名指されるものなのです。

図0-2　レオナルド・ダ・ヴィンチ「大洪水」（部分）1513-15年頃

†「芸術」誕生の根源にあるもの

では、なぜ「芸術」という工作の営みが、人類には必要なのかという問いがあります。

地上に生まれた私たちは、「限りある命」を授けられた生物です。「生きとし生けるもの」が授かった生命は永遠ではなく「有限であること」を直観できる力に、「芸術」の根源的発生は深く関わっています。人類はその「感／知」力によって、自らが限りある者であるという真実を実感してきました。それゆえに超越的な存在や聖なるものなど、「限りないもの」への憧れをいだき、羽ばたき（エラン）の技法を「芸術」という「工作・創造」によって切り拓（ひら）こうとしてきました。どんなに科学技術が発達しても、この地上で授かった柔らかい命は、大自然を前にした「生身（なまみ）」であるということ。この一点において、先人の人類と、現代の私たちは、人類（マン）として変わらぬ同じ地平に立っているのです。

「大自然を前に、常に、人類は、生身である」。この最も根源的な真理と動機は、人類史のどの地点にあっても変わらず、芸術は、四万年前の「ライオン・マン」の彫像でも、五〇〇〇年前のレオナルドの「大洪水」でも、一〇〇年前のカンディンスキーの「即興」でも、いかなる現代アートでも、この真理に触れて表現されてきた作品として同一なのです（図0-2）。

逆にいえば、この命の定めに怯（ひる）まず、「なにかを創りあげる」超脱へ、飛翔へと覚醒しない限り、なぜ私たちは明日へと向かっているのか、ヒトはなぜ光を求めるように、数万年以上ものあいだ芸術・表現の創造をしてきたのかの答えを得ることはできないでしょう。いいかえれば「限りある命の生きとし生けるもの」という「人類自身」の覚醒自体に「芸術」生成の「根源」があるといえるでしょう。

繰り返しますが、どんなに科学技術が発展しようと私たちは薄い皮膚一枚で護られている生身を、自然環境によって生かされている「生きもの」です。この真実への覚醒に「芸術の発生」は深く関わっていました。死への怖れにおののきながらも、「命への慈しみ」を心に育て、ゆえに「創造するヒト」として成長してきました。いわば「有限への認識の獲得ゆえに、無限への超脱の希求」という逆説の俎上に、ヒトは生かされてきたのでした。天上の神（々）と違って、そもそも地上の存在である私たちは、永遠の生命を保障されるはずがありません。しかしだからこそ、何かを創り出そうとします。人類は「限界存在」としての「思索者にして工人」であり、その覚醒と匠によって生き抜いてくることができたのでした。もしそうでなければ、大嵐に吹き飛ばされ、ヒトよりずっと屈強な野獣たちに征服されていたことでしょう。

†「成りつつあるもの」としての芸術

その意味で「芸術」とは、常に「生命＝自然」によって人類の存在が問われているもの、に繰り返し関わっています。ゆえに芸術は「成ったもの」であることは一度もなく、それは常に未来に向かって「成りつつあるもの」として生み出されてきました。有機体・生命体として、見えない運動のシステムを秘めてきたのです。

芸術はまた歴史の中に生まれながら歴史に規定されるものではなく、表面的類似の比較によって簡単にリスト化され了解されてしまうものでもありません。芸術の外側に、予め用意された説明のテキストに対応するために、芸術が創られるのではないからです。ですから芸術は、受容者の感/知めがけて、幾度でも変容し、蘇ります。常に現在に「根源」を胎動させているのです。

その芸術という有機体は、人間の自己という小宇宙と、自己をとりまき関係する大宇宙との交叉のなかで、外界に散らばる無数の実在や自然の個物を「関係づけ、意味づけ」、言語やイメージで「象徴の森」を創造してきました。二万年前、ラスコーの壁画のビゾン(野牛)は絵画という芸術になったとき、もはや外界のビゾンではなく先史の人々にとっての「食糧や生命力や犠牲」などのシンボルとしてそこに顕現したのです。どんなに写実的であろうと、AをBで喩(たと)え、CをDに象徴させて「表す」、「喩(ゆ)の作用(象徴体系)」。それこそが、現生人類の創造した芸術なのです。

二〇世紀の後半に「解釈人類学」を提唱したクリフォード・ギアツ(一九二六―二〇〇六)に倣(なら)えば、あらゆる文化的所産は、社会においてはたらく「意味のシステム」であり、芸術に内在するシステムが社会を活かしめてきました。この意味でも「芸術」は、人間の生身の「有限性」の臨界を破り、日常の営みにおいても、特別の祭礼の場においても、姿を変えながらその意味のシステムを創造的に「循環」させ発現します。それは遺された肖像写真を手にした者に生存と死を往還させます。あるいはまた、二〇世紀アメリカの抽象表現主義を代表するマーク・ロスコの冷たく温かな画面が「絶望」と「安寧」を同時に鑑賞者に与え、「象徴の交換」を興します。

いいかえれば、冒頭に述べた現代の人類が、巨人の肩の上で得られる眺望のチャンスは「ずっと先に」あるものではなく、いまここにある「未生の現在」から、刻々と産出される。「現在」の胎動が「未来」を生むのです。

このようにして、何度も復活した人類の総体であるあの巨人同様、芸術は、肩にとまる「小さきヒト」を支え、かつ揺り籠を揺らしています。眠るためにではなく、さらに共に覚醒するために。

以上の「芸術」の定義を踏まえ、新たな「芸術人類学」の挑戦をより明確化するため、ここで近現代西洋人類学に神話や芸術の体系を発見させた「他者の芸術」について押さえておきましょう。なぜ近代人は「根源の芸術（プリマ）」に魅了されたのか。

2 「他者」から拓(ひら)かれたアート

†「他者」の人類学

西洋発祥の人類学の手法の特徴は、「文明の頂点にいる西洋人」の先進文明からみて、非西洋という「外部」「遠隔」にいる「異民族」「無文字社会」の習俗・習慣等を、観察し分析することにありました。従って「芸術」とは「民族芸術」を指し、今日ルーヴル美術館はじめ欧米の美術館にある西洋中心の美術作品以外の「非西洋の芸術」が考察の対象でした。西洋人類学の土台に「民族学(エスノロジー)」があり、人類学における芸術研究は「民族芸術」が対象でした。特定の「未開」文化集団の工作物を観察し、「原初の様式(プリミティヴ)」の中に、社会と芸術が対応するとみなされる発展過程や心性を発見しようとしたのです。

こうした人類学の背骨には、「アジア・アフリカ・オセアニア・南北アメリカ」へと進出した列強の「植民地帝国」の観念である、「未開の異境」への探査があったことはいうまでもありません。進化主義人類学のヘンリー・モーガン(一八一八-八一)はカナダ北太平洋沿岸先住民居住地に早期から親しみ、伝幡主義のフランツ・ボアズ(一八五八-一九四二）はドイツからアメリカに帰化して六〇〇〇点もの論文をものし、構造主義のレヴィ＝ストロース（一九〇八－二〇〇九）は新旧大陸の往還者として南北アメリカを渉猟しました。これは彼らの個人的な開拓ではなく、西洋人類学の信念が「他者の地」へ足を踏み入れさせたのでした。しかしそこで彼らは装飾性豊かな仮面・神像・民具等の多様な美的工作物に出会います。

もうひとつ人類学史のスコープにおいて特記すべきは、歴史的に西洋の「文明の発展史観・進化主義」には「文化」と「文明」の概念に厳格な位階があり、現代でもそれが生きているということです。

「文化」を精神（こころ）の、「文明」を物質（もの）の所産として、どちらも人類・人間活動の成果として用いる日本人にとっては、想像を超える複雑な歴史がヨーロッパにはあり、特にイギリスやフランスでは「文明／シヴィライゼーション」は「文化／カルチャー」よりも高位の概念でしたし、現在もそうであることです。アメリカにおいて「文化人類学」と呼ばれている学問は、ヨーロッパではイギリス、フランスを主に「社会人類学」と呼ばれ、「文化」の語は用いられません。「国家や法律が存在し、階層秩序・文字・芸術が発達している社会」が「文明社会」と定義されますから、先住民の無文字社会には「文化」として神話や芸術があっても「文明」はないという概念です。

この二語の区別は、先住民へのまなざしだけに適応されたものではなく、ヨーロッパ内の民族・国家の発展に関わる要（かなめ）の術語であり、美術史学や文学をはじめ人文科学の文化概念もそれに関係してきたことは看過できません。

一九世紀、近代国家フランス、イギリスに大幅な遅れをとったドイツは、「文明」に対抗し、「文化」という言葉・概念を、国民の統一を図るキーワードとして用いました。ドイツの知識人にとって「文化」とは自民族・自国民の「言語・慣習・記憶・哲学・文学」を指し、「精神的・特殊的・伝統的なもの」を意味しました。「物質的・普遍主義的・革新的なもの」を指す「文明」に対抗する概念として用いたのです。

ゲルマン民族の国民国家構築のための文化称揚は、逆に英仏にとっては遅れた文明、途上の国と映りました。ですから人類学をリードするフランスの国立社会科学高等研究院の大学院過程では、現在でも「文化」の語を用いず、アメリカが用いた「文化人類学」は「社会人類学」と称され使い分けられています。また現代でもフランス社会では「文化」という言葉は、外国人移民とその子弟を「文化的他者」とみなす極右の主張にまで継承されているといいます。「文化」という言葉には「特殊的」で「排除すべきもの」というニュアンスがある。人類の先端文明、ヨーロッパ内にもそのような乖離（かいり）の歴史があり、「英仏」対「独」の対立構図は、列強間の牽制的外交と二〇世紀の大戦にまで繋がっていきました。
しかしここで浮上するのが先住民「文化」の宝庫、アメリカ（の人類学）です。「精神的なものの記憶、思索、その芸術的表現の総体」を意味する「文化」という概念は、ドイツ出身のフランツ・ボアズを介して合衆国に持ち込まれたといえます。ボアズはユダヤ系で、故郷喪失の「ディアスポラ」の文化を感性的に携え新天地アメリカに移住し、先住民の文化芸術に関する緻密で情熱的な民族調査をしました。

ドイツの一八－一九世紀の芸術・思想には「文化（クルトウア）」と重奏したキーワードとして「故郷（ハイマート）」という言葉があり、民族固有の故郷を絵画や文学で表象しました。アメリカという新天地で一八八〇年代、先駆者としてボアズが先住の人々の「土地（ラント）」に愛着をもって踏み入り、土地・親族・交換・成長……の根源の場を踏査しました。同じ人類学者でも、モーガン（『古代社会』一八七七年）[2]が先住民イロクォイ族の共有地を分割しようとしたこととは対照的に、人類学における「文化」「文明」観の重さを告げ知らせて来ます。

一九三三年、三〇歳でナショナル・ギャラリーの館長となり、貴族の称号を授与されたイギリスの美術史家ケネス・クラークの、TV映像番組でも世界的にヒットした西洋美術史の流れを追う名著は『文明（シヴィライゼーション）〔邦題：芸術と文明〕』[3]（一九六九年）というタイトルです。一九世紀、大英帝国ヴィクトリア朝は「イタリア・ルネサンスの継承者」を宣言し、その信念と誇りを継承してきました。芸術は文明に沿って理想的・人間的なものへと進化していくという思想です。スコットランドのナショナル・ギャラリーの目玉は、今でもあくまでルネサンスの巨匠「ラファエロ」であるように。ダーウィンが最初の鐘を鳴らした進化論の国。その人類学と美術史学は、このような古典的発展・継承の史観を国民性として保持したことを忘れてはならないのです。

†進化論と機能主義を超えて

さて、人類学の進化主義の学説は一九世紀後半、そのイギリスではエドワード・タイラー(『原始文化』一八七一年)[4]を祖として、「野蛮→未開→文明」の理論が示されました。一方、ヨーロッパ本土では一九世紀末(先住民ではなく「国民」としての)「民族(フォルクス)」を統合し「国家」を形成・発展させる途上で、社会や民族は固有の「芸術意志」をもつと唱えた美術史学(アロイス・リーグル『美術様式論――文様史の基本問題』一八九三年)が示されました。これもヘーゲル的な進化論的上昇の史観に基づくものでした。しかし、リーグルは、芸術を素材・技術・使用目的からみる唯物論ではなく、「様式」に歴史的地位と役割を認めたのです。

人類学から人文科学までを覆ってきたこうした進化主義は、しかし、「伝播主義」によって関係性の発見・比較・相対化の方法を生みました。

二〇世紀に入ると、二〇年代には、本格的な長期フィールドワークに基づいた民族誌編纂の方法を形成する「機能主義」（ブロニスワフ・マリノフスキー　一八八四－一九四二）が現れます。社会文化の構成要素の機能的意味を分析し、現象を有効性によって評価する立場であり、「芸術」を、社会の目的（関数）に適ったものとする見方です。

機能主義は、当時の建築・デザイン思想において「形態は機能に従う」と宣言するアメリカの建築家ルイス・サリヴァン（一八五六－一九二四）の単純性・均質性・無機質性と呼応し、ミース・ファン・デル・ローエ（一八八六－一九六九）、ル・コルビュジエ（一八八七－一九六五）等によって実践されました。機能主義は「関数主義」であり、機能によって衣食住がデザインされ、シンプルな四角い部屋に現代人は「快適」を実感しました。

しかし一方、人類学者が持ち帰る「民族芸術」は欧米社会の関数の概念に取り込まれることなく、一九二〇年代までに西洋美術（キュビズム、プリミティヴィズム、シュルレアリスム：アンドレ・ブルトンによる「シュルレアリスム宣言」一九二四年）やパリ万国博覧会（一九二五年：本書第二章参照）に大きな影響を与え、生命が横溢（おういつ）する造形によってピカソをはじめ画家たちを魅了したことは知られている通りです。

マリノフスキーの主著『西太平洋の遠洋航海者』[5]（一九二二年）のタイトルにある

「航海者（アルゴノーツ）」という語は、古代ギリシャ神話の主人公が「私たち＝文明の中心」から「野蛮・未開の彼方＝他者」の地へと航海し帰還するという観念を、意識的にも無意識的にも滲ませていました。しかしモダニズムのデザインが一九一〇年代から五〇年代まで続くその真只中、機能主義と未来主義と原始主義が一体になったユニークでクールな装飾様式、アール・デコ・スタイルが都市文明にもたらされたのです。アール・デコというモダンな美は、西洋が原始芸術と出会わなければありえない「かたち」でした。ニューヨークのマンハッタンにひと際、美的な摩天楼として立ち続けている「クライスラー・ビル」の尖塔にデザインされたアフリカの放射光と先住民の鷲鷹の装飾のように。七七階のビルには、遠目ではわからない細部に、機能と原始的なものの融合が造形されたのです（図０－３）。

図0-3　ヴァン＝アレン「クライスラー・ビル」1930年

†民族芸術から「芸術」へ

欧米のアート＆デザインと非ヨーロッパの民族芸術との交叉は、「西洋／非西洋」「文明

／未開」「発展／停滞」「合理／不合理」「理性／感情」「人／獣」「男／女」という――後のポスト・コロニアリズム（エドワード・サイード『オリエンタリズム』一九七八年）[6]によって完全に解体される――二元論の壁を破りました。そして、第二次世界大戦後、「構造人類学」が、先住民の神話や親族関係に見えざる「構造」と「体系」を浮かび上がらせます。

図0-4　ボアズによる仮面の３つの相

そのレヴィ＝ストロースの方法は、言語学者ロマーン・ヤコブソン（一八九六－一九八二）との出会いから導き出されましたが、「見えざる構造」の発見の原点には、先駆けとして精神分析学（ジークムント・フロイト『夢判断』一九〇〇年）[7]がありました。個人が見る「夢」や集団が語ってきた「神話」そして「芸術」には、「人間の意識には認知されないシステム＝無意識」が存在し、それは歴史からは解くことができない体系であるという発見です。

神話では何でも起こり得るというレヴィ＝ストロースの認識は、「芸術」にも適用できます。先駆者ボアズが報告した北西太平洋岸の先住の人々の仮面は、動物の内側に人面が出現し、それはまたもうひとつの動物に飲み込まれていきます。動物の大口の内側にも大きな目があります。この複雑な表現は共同体の無意識の意志から生まれると考えられました（図0-4）。

「民族芸術」には色や形や質感が、夢や神話のように構成されます。ピカソや思想家バタイユが讃嘆したこの非西洋の芸術が、二〇世紀芸術の起爆となっていったのです。奇しくもレヴィ＝ストロースは、一九三〇年代初頭に同時代のピカソと人類芸術の「共振」を目撃し、その興奮を『仮面の道』（一九七五年）で回顧しています。

絶えざる改変を試み、工夫すれば、どのような局面であれ、……常に新しい即興への志向が生まれ、その新たな即興が確実に紛れもない成果へと繋っている……一人の人物［ピカソ］のスリルに満ちた実験……この多様な芸術が、今なお未知のその遥かな起源［先住民族の芸術］から、同じリズムで発達しては来なかったと考える根拠は、我々にはない[8]（［ ］内、引用者）

この文章は、「ヨーロッパが新大陸の啓示を受け、民族誌学的に開眼された」と彼が評した[9]ニューヨークの自然史博物館での体験でした。三〇代半ば、人類学者としての自己の歴程を象徴するように書きとめられたもので、前掲『仮面の道』冒頭には、より熱い言葉が溢れています。

一九四三年に私はこう書きとめて置いた。「ニューヨークには、幼少期の夢が一堂に集まったような魔法の場所がある。そこでは、歳月を経たトーテム柱が歌い、また語りかけ、奇妙なオブジェが、不安気に凝固した表情で訪問客の方を窺い、また人間離れした優しさをもつ動物たちが、小さな前脚を人間の手のように合わせて、こう祈っているように見える……。……仄暗がりに光のさす洞穴に入って、過去の稀らしい宝物の崩れんばかりの山を前にしたような感動を与える、……「アメリカ自然史博物館」の一隅である。」[10]

レヴィ＝ストロースが自然史博物館で向き合った「仮面芸術」は、ヨーロッパ人でもアメリカ人でもない「寄港地なき航海者」たる己に新しい扉を開けました。西洋と他者を二分してきた「西洋という中心」を崩落させ、その「死」を起爆として、「芸術人類」（工作するヒト）の意識下の声を、彼はそこで聴いたのです。ヨーロッパ戦線から亡命したフランス人としてニューヨークに身を置き、パリが全体主義に蹂躙される不安のなか、宙づりとなった我が身から滲み出た言葉であったのではないか。この経験が、「西洋のフロンティア」かつ「未開地」でもあった「アメリカ」の博物館で記されたことには意味深いものがあります。

しかし現在と先住の芸術の接続としては、レヴィ＝ストロースより半世紀も先んじてイヌイット、北西太平洋沿岸ブリティッシュ・コロンビア、そしてシベリアにも赴き社会・神話から芸術まで緻密な現地調査をおこなった「アメリカ人類学の父」フランツ・ボアズの偉業があり、上述の『仮面の道』はそれを高く評価したものでした。人間を嚙む熊貌の図像は作り手の手自身が刻々覚醒させられる、うごめくシステムを浮かび上がらせる。常にそれは未完であり、「成ったもの」ではなく「成りつつあるもの」としての芸術でなければならない。ボアズの『プリミティヴ・アート』（一九二七年）では先住民の思考と文様の美的生成（対称・リズム・協調）が、ダンスや歌と照応した構造をもっていることを見出しています。「わたしの前にある美……わたしの後ろにある美……わたしの上にある美……わたしの下にある美……」。ボアズは、世界の「四方」を透視するようなナバホ族のこの歌を書きとめ、「アメリカの北西海岸の五拍のリズムは宗教的な冬の儀式と密接に結びつけられて」いるとして、芸術と儀礼とを横断的に解釈する方法を生み出しました。[11]

さて北米から戦後帰還したレヴィ＝ストロースは、パリの「人類博物館」（一九三七年創設）の要職に就きました。それは、思考の枠組を変革する、パラダイム・シフトの境界に立つ人類学者として象徴的でした。フランスが「人類博物館（ミュゼ・ド・ロム）」に積み上げてきた「原始芸術」は、アジア・アフリカ・オセアニア・南北アメリカの植民地化のため進出した彼ら国家のトロフィーであり鏡でありました。しかしフランスはそれゆえにこそ、民族芸術を自律した芸術として評価・展示することへ先見的にシフトする国となったのです。

「芸術人類」が創り続けてきた多様な美的工作物を、歴史という通時的呪縛を超えて、上下隔てなく共時的に（無時間の状態を与え、流れの断面に光を当てて）展示する新機軸の美術館「ケ・ブランリ美術館」がシラク大統領の悲願として二一世紀の幕開けに開館（二〇〇六年）したのでした。民族芸術を社会人類学的「資料」として蓄積してきた「人類博物館」の陣営からはなお議論がある中、分断なき「アート」として世界に示し、現代のアート＆デザインに大いなるヒントを与え展開しています。この美術館に佇むと、その無時間性の思考が、激動のＥＵや世界の喧騒から一瞬遠のく無音状態に誘われます。しかし忘れてならないのは、このヨーロッパ人による人類芸術の「解放」の六〇年以上も前に、西洋美術も民族芸術も分け隔てなく展示すべきという発想を、レヴィ＝ストロースが、あのニューヨークの博物館で抱いていたことです。

蒐集された収蔵品が民族学博物館を出て、……古代エジプトもしくは古代ペルシャと中世ヨーロッパ部門の間に陳列される日が、遠からずやってくるに違いない。……第一級の芸術作品に較べても……**その多様性においては……遥かに凌駕するものを持ち、さらには常に新しい様式を生みだす可能性を明らかにしてきたから**である。（太字：引用者）[12]

ケ・ブランリ美術館の砂漠の夕陽色（フランスのアフリカ植民地へのノスタルジーを表す砂の色）を抜けてメイン展示室にアプローチするという設計は、非西洋から来た「逆・航海者」である私に、なお西洋の植民地主義に奉じざるをえなかった人類学の足跡を感じさせます。と同時に、漸く二一世紀にして本書のいう「マン・オヴ・アート」が、歴史の砂嵐を超えて生き残り、人類の歩んできた「全時間を無時間的に開き直す」、ひとつの標（しるべ）が立てられた思いがします。日本の相撲ファンでも知られるシラク大統領は、九州場所の帰りに、福岡市の「金隈（かねのくま）遺跡」に赴いて弥生時代の「甕棺（かめかん）」の前に長い時間、佇んでいたと伝えられています。

かくして一九世紀後半から進んできた社会／文化人類学史は、一九七〇‐八〇年代のポスト・コロニアリズム、ポスト・モダニズムの活発な言説（サイード、ヴェンチューリ等）

を経て二一世紀に入り、民族／原始芸術を本来の「人類芸術」の野に連れ戻されたのです。

†「芸術人類／学」の自律

今日、「社会／文化人類学」は諸分野に分化され、社会・法・政治・経済・言語・宗教・象徴・視覚芸術・音楽・映像・心理・認識・教育・環境・都市・観光・医療・生態等、多様なテーマの下に推進されています。この中にはサブ・フィールドとして「芸術をあつかう人類学」もあります。しかし私たちが本書に掲げる「芸術人類学」は、人類学の下部分科でないことは冒頭から記してきたとおりです。

私たち四人の筆者は、人類学者の血統ではありません。「芸術人類学研究所」（多摩美術大学）において、芸術文明史、詩学、書物制作、美術批評、被災学、宗教・祝祭論、思想史、民俗学等の領野から、人類の「芸術思考」を明らかにしようとしてきた研究者たちです。右に述べてきたヨーロッパ発祥の人類学の航海は、幾本もの帆柱（理論・学説）の付け替え作業であったのではなく、あざなえるロープの修繕の繰り返しの航行であったように、私たちの「芸術人類」を浮び上がらせる探求も多様な交叉・結び目をつくりながら協働で推進されてきました。

芸術人類学研究所・プロジェクトの研究調査地は広範囲に及び、西はアイルランドからヨーロッパ諸地域、ロシア、シベリア、中央アジア、中東、アフリカ、インド、中国西域、東南アジア、日本列島。オセアニア、南北アメリカ等まで。各地の聖地・被災地・遺跡。博物館・美術館・ギャラリー・文書館を訪ね、自ら表現者として刊行・デザイン・展示もおこなう総合的研究活動を進めてきました。企画展は「九〇〇〇年にわたる北欧・アイルランド・奄美大島の岩の線刻画」展（二〇一八年）、ユーロ＝アジア世界一万キロを横断して収集した民族芸術の「渦巻（文様）の大宇宙」展（二〇一九年）を皮切りに毎年おこない、シンポジウム「土地と力」シリーズ（二〇一三年－現在）等も開催しています。

本書は複数実践部門に沿って、多彩なテーマで講じていくものです。

・「来るべき美術」部門は、〈自然災害の批評哲学〉
・「ユーロ＝アジアをつらぬく美の文明史」部門は、〈人類の装飾芸術〉
・「野外をゆく詩学」部門は、〈言語芸術の可能性〉
・「贈与と祝祭の哲学」部門は、〈日本列島の祝祭論と東方哲学〉

これらのテーマを通して、荒ぶる自然と創造との境界に刻まれた「芸術人類」の足跡（フットステップ）を追い、私たちの「未生の現在」から循環・再生する「根源の思考」を明らかにしていきます。

1 『中世思想原典集成8 シャルトル学派』上智大学中世思想研究所編、岩熊幸男編訳・監修、平凡社、二〇〇二年、七三〇-七三一頁
2 L・ヘンリー・モルガン『古代社会(上巻)・(下巻)』岩波文庫、一九五八年、一九六一年［原著：一八七七年］
3 ケネス・クラーク『芸術と文明(叢書・ウニベルシタス)』河野徹訳、法政大学出版局、二〇〇三年［原著：一九六九年］
4 エドワード・B・タイラー『原始文化(上巻)・(下巻)』松村一男監修、奥山倫明・奥山史亮・長谷千代子・堀雅彦訳、国書刊行会、二〇一九年［原著：一八七一年］
5 ブロニスワフ・マリノフスキ『西太平洋の遠洋航海者』増田義郎訳、講談社学術文庫、二〇一〇年［原著：一九二二年］
6 エドワード・W・サイード『オリエンタリズム(上巻)・(下巻)』平凡社ライブラリー、一九九三年［原著：一九七八年］
7 ジークムント・フロイト『夢判断(上巻)・(下巻)』高橋義孝訳、新潮文庫、一九六九年［原著：一九〇〇年］
8 クロード・レヴィ＝ストロース『仮面の道』山口昌男・渡辺守章・渡辺公三訳、ちくま学芸文庫、二〇一八年［原著：一九七五年］、一三-一五頁

9　クロード・レヴィ＝ストロース『今日のトーテミスム』みすず書房、二〇〇〇年、一二三頁

10　クロード・レヴィ＝ストロース、前掲『仮面の道』一一頁

11　フランツ・ボアズ『プリミティヴアート』大村敬一訳、言叢社、二〇一一年〔原著：一九二七年〕、四〇六頁、四一一頁

12　レヴィ＝ストロース、前掲『仮面の道』、一二頁

第１章

爆発、丸石神、グラン＝ギニョルな未来

椹木野衣

1　芸術人類学とはなにか

芸術人類学とは、思うに、ありそうでなかった言葉です。しかし理由は簡単で、芸術のあつかう時間と人類学のあつかう時間とのあいだに、埋めるのがむずかしいギャップがありすぎるからではないでしょうか。芸術の歴史がいつから始まるかについてはいろいろな考え方があるでしょう。ひとつの目安として、美術史というものが考えられます。私たちのように美術大学と名のつく教育機関に属している者にとっては、教える側にとっても教わる側にとっても、もっとも身近な領域です。ところが、美術史がいつから始まったかについても、ことはそう単純ではありません。そもそも、いま私たちが当然のものとして考えている美術史の体系は、人類の起源からあったわけではないのです。考えてみればあたりまえのことですが、ギリシア・ローマの時代に美術史は存在していません。そう考えると、美術史というのは、ある時代から意図的に過去へとさかのぼって作られた叙述の形式だということがわかってきます。

では、いつ頃からこの遡行が行われたのでしょう。先にギリシア・ローマと書いたとおり、私たちが知る美術史の規範となっているのは、ギリシア・ローマにおける古典様式です。つまり、ギリシア・ローマの古典様式を美術史にとっての「古典」と位置付けた時点で、はじめて美術史そのものの骨子も成り立ったことになります。それがいつかと問うなら、ルネサンスということになるでしょう。「リ＝再・ナイサンス＝誕生」とは、書いて字のごとく「再生」を意味します。けれども、いったいなにを再生したのでしょう。私自身の記憶をたぐってみても、教科書には「ルネサンス（文芸復興）」などと載っていて、いったいなんのこと？　と、わかったようでわからなかった記憶があります。実際、先生もなぜルネサンスが「文芸復興」なのかまでは教えてくれませんでした。でも、いまなら芸術人類学との兼ね合いで、もう少し踏み込んで考えることができます。

簡単に言ってしまえば、ルネサンスが復興したのは、「生」という響きからもわかるとおり、人間という概念なのです。では、それまで人間は生まれていなかったのかというと、むろん地球上に人類はいました。しかし、私たちが呼ぶような意味での人間はいなかった、というよりも忘れられていたのです。重要なのは、ルネサンスをもって「人間」が生み出されたのではなく、人間という概念が「復興」したということのほうです。私たちはいま「復興」を被災と結びつけて考える傾向があります。ならば、人間という概念が被災したのはいつのことでしょう。神によって抑圧された人間が世界の担い手としては軽視されていた「暗黒の中世」ということになるのかもしれません。

ギリシア・ローマの時代、狭くはヘレニズムの時代、人間は世界の主役でした。そこでは神でさえ人の似姿として表されていたのです。そしてほかでもない、人間が主役であるということを端的に実践する舞台となるのが「学問・芸術」、つまり「文芸」であったのです。要するに、ルネサンスを「文芸復興」と呼ぶのは、学問（もっと言えば科学）や芸術の担い手としての人間を、神学の暗がりから取り戻すことを意味します。もう少しはっきり言ってしまえば、文芸復興とは、神への没入的な信仰よりも、人間が主体となって世界の蒙昧に挑み、自己をいきいきと表現することを意味するのです。このように考えれば、ルネサンスをもって芸術という概念が生まれたとすることも不可能ではありません。しかしそうなると、人類学と芸術学とのあいだのギャップは開く一方ということになってしまいます。そんな狭間を抱えたまま、はたして芸術人類学は成り立つのでしょうか。

「人類」がおのれを主体的に表現しない、つまり芸術をものしなかったのは、かれらがまだ人間ではなかったからです。そんなことよりはるか前に、かれらは種として生き抜かなければなりませんでした。自然に翻弄され、信仰にすがって生きるしかなかったのです。けれども考えてみれば、そのように生きなければならなかったこと自体は、ルネサンスが開花し、人間が世界の主役になったように見える世界でも、本質的にはなにも変わっていません。人間はペストの大流行やリスボンの大地震を前に、まったくなすすべを持ちませんでした。その点では、ルネサンスが規範としたギリシア・ローマにおいても、なんの違いもないのです。むしろ、ギリシア・ローマの文明は地理学的に言ってより過酷な東方で営まれ、ルネサンスの時代以上に自然の猛威との直面は避けられませんでした（そもそもルネサンスとは、ギリシア・ローマに対して方位的に北方的な性質を持ちます）。言い換えれば、ギリシア・ローマを生きる「人類」から人間的な要素を抽出し、「文芸」という概念へと高めたのがルネサンスだったのだと言ってもいいくらいです。その点では、新たな「人間」と言えども「人類」であることを根本から克服したわけではまったくないのです。

としたら、私たちは芸術人類学という名称自体についての先入観をいちから見直す必要があるのかもしれません。芸術人類学というと、ふつうなら芸術について人類学的に考察する、ということになります。英語表記の「Art Anthropology」なら、芸術と人類学を同格に扱うというニュアンスのほうが強いから、逆に人類学について芸術的に探究するとしてもまちがいではありません。というよりも、本来ならこの両者を双方向的に行き来できるようにするのが「芸術＝人類学」の営みのはずです。しかし、すでに触れたように、そこには大きなギャップが残ります。芸術は人間に固有の性質であり、人類が人間でなかった頃、つまり人類が人類であるかぎり、そこには芸術がない。では、いったいどのようにすれば、芸術学であり、同時に人類学であるような領域が成り立つのでしょう。

こう考えてみてはどうでしょうか。かつて人類には芸術がなかったのだとしても、では表現に当たるものはなかったのか――たとえば縄文土器や洞窟壁画は、あれは表現ではないのでしょうか。確かに芸術ではないにせよ、表現ではあるように思われるかもしれません。だが、厳密にはこれもそうではないのです。表現が成り立つためには他と区別された自己が必要ですが、縄文土器や洞窟壁画は周囲から独立した個人のための表現ではないからです。それで言えば事態は逆で、縄文土器や洞窟壁画はむしろ、特定の集団のために作られ、描かれました。荒ぶる自然からかれらを守る祈りや願い、儀礼や祝祭のため、それらがどうしても必要だったのです。ですが、縄文土器や洞窟壁画をそのように受け取ったとたん、先にも触れたとおり、私たち人間もまた、それらを克服したわけではないことに、ただちに気付きます。としたら、芸術と人類学との関係は、もしかしたら逆なのかもしれません。芸術を人類学的に考察するのではなく、私たちが芸術と呼ぶもののなかに人類学的な要素はないか見つめ直してみることにこそ、芸術人類学（Art Anthropology）の役割があるのではないでしょうか。ルネサンスの一大転回に立ち戻って考えれば、ルネサンス以降に確立された人間と学問、科学や芸術といった枠組みのなかに、依然として残る人類の痕跡を浮かび上がらせるのが、私たちにとっての芸術人類学の営みなのではないでしょうか。

かつて岡本太郎は、薄暗い展示室の片隅で縄文土器と巡り合い、これこそが古代人の芸術であり表現なのだと喝破しました。それまでの日本では考古学資料としてしか扱われることがなく、見る者ひとりひとりが表現として対峙することがなかった縄文土器をそのように見つけ直すことができたのは画期的なことですし、とりもなおさずそれは、岡本太郎がパリ時代にマルセル・モースを通じて民族学、文化人類学的なまなざしを獲得していたからにほかなりません。でも、それだけでは芸術人類学を先取りしたということにはならないのです。すでに見てきたとおり、人類史上の古層へと芸術論＝表現論的なまなざしを向けることは、概念の成り立ち上、実はとても難しいのです。無理にそれを行えば、古代の諸相を近代以降の枠組みで捉え直してしまうという過ちを容易におかしてしまうことになるでしょう。だからこそ、私たちにできるのは近代以降、自明のものとなってしまっている芸術や美術、表現といったルネサンス以降の転回をこそ、そのような力を得られずにいた人類の視点から見直してみることなのではないでしょうか。たとえば作品や作者、素材や制作年、展示やサイズといった、芸術（この場合は美術作品）にとってごくごく当たり前の自律した枠組みそのものを疑い、それらをたちどころに霧散させてしまいかねない荒ぶる自然との拮抗のなかで捉え直してみることのなかにこそ、芸術人類学の目指すところがあるのではないでしょうか。

端的に言えば、それは「祈り」ということになるでしょう。祈りと言ってもこの場合、必ずしも信仰に根ざす必要はありません。人類にとっての祈りとは、宗教だけの特権ではないからです。自然が備える計り知れない力に気付くとき、私たち人間は、いついかなるときにあっても、直ちに無力な人類へと還らされてしまいます。そんなとき、私たちにできることと言ったら、せいぜいが祈ることくらいしかありません。人類が人間となってなお、自然を抜本的に克服したわけではない以上、人間はいつでも潜在的には人類なのであって、その意味では人間は人類にとっての上位概念ではないのです。というより、人類は人間にとって潜伏的な概念なのです。この潜伏的な性質を芸術に当てはめ、芸術のなかに隠された「祈り」を浮かび上がらせる試みこそ、芸術人類学と呼ばれるにあたいします。

その意味でも、芸術人類学は文化人類学とは決定的に異なるものですし、その源流にある民族学がもともとはデュルケームの社会学に発するものであり、デュルケームそのものが社会の理念型として未開社会を捉えていた以上、民族学や文化人類学は依然として社会学の余波を色濃く残しているのは当然なことです。けれども、私たちがいま向かっているのは、社会を輪郭付けすることではなく、まったく逆に、世界の未明性へといつのまにか運ばれ、そこからいやおうなしに身を投げることであって、そのために必要なのは、既存の理念型に倣うことをむしろ放棄し、ますます自己組織化へと向かう人文諸科学を根本から疑ってみる批評的実践なのです。確認しておかないといけないのは、芸術人類学は民族学や文化人類学の発展系なのではなく、ましてや宗教人類学や映像人類学のように、より細分化されたその下位概念なのでもなく、ある意味、まったく別のところに確立されるべき未知の探究だということです。芸術人類学にとって、社会学ほど遠い隣接領域はないのです。学問としての民族学への批判という性質をその成り立ちから持つ柳田國男や折口信夫による「民俗学」の提唱や、芸術に対して「民藝」や「呪術」を対置した柳宗悦や岡本太郎の実践がおおいに参照源となるのは、そのためです。

　いずれにせよ芸術人類学とは、芸術が自然の前にまったくの無力であることを思い知らされるとき、その担い手であるはずの人間が、一気に人類へと崩落する瞬間から垣間見えるようになる危機的な事態を、容易には消えてくれない「祈り」の諸相からいかに捉えるか、ということに多くを負っています。

　芸術人類学の名のもと、本来なら芸術にとっては異例であるはずの大量死をともなう戦争や災害、そして事故、また人間が人間でなくなるような隔離や孤絶の意味を重んじるのは、そのためにほかなりません。

2　岡本太郎と「芸術は爆発だ！」

ここで、先に少し名前の出た岡本太郎（一九一一－一九六八）について考えてみましょう。彼の発した「芸術は爆発だ！」という言葉はとても有名ですが、その意味は、実はあまりきちんと解釈されていないのです。私はこの言葉こそ、実は「祈り」に近いものを含んでいると考えています。本人がそう言っているわけではありません。実際に太郎が「爆発」とはこういうものである、とは言っていないので、はっきりした答えがあるわけではないのです。この言葉は、一九八一年、日立マクセルのビデオテープのＣＭの中で、太郎が「芸術は爆発だ！」と叫んで天を仰ぐ姿が放送されたことから一躍有名になりました。だけど、これだけだと「爆発」が何なのかよくわからない。それどころか、このＣＭが広く世に流れたことで、岡本太郎はさまざまな意味で芸術家としての苦難を余儀なくされます。そもそも当時、真摯な芸術家がテレビに出てキャッチフレーズを叫び有名になるということに、ひどく周囲の抵抗がありました。実際に、この「芸術は爆発だ！」という言葉はいろいろな人の物真似の対象となり、太郎は芸人とは言わないまでも、次第に風変りな人と位置付けられていきます。なぜ、彼はわざわざこうしたことをしたのか。岡本太郎は一九四〇年代後半から七〇年代を通して、実作を手懸けながら、美術の世界にとても重要な提言や批評を成し、貢献してきた人です。ところが、突然このようないかがわしいことを始めて評価が失われ、私が美術の世界で批評を始めた八〇年代後半には、彼の著作で読めるものはほとんどなく、美術家としての活動が専門的に研究されることもまったく見られない状況になっていました。いまでこそ岡本太郎の研究が進み、美術館もでき、著作も誰でも読めるようになりましたが、八〇年代後半は、先ほど話したCMの流れで、芸術家というより芸能人的なニュアンスで、その存在が忘れられていました。ですが、太郎が「爆発」という言葉で示したものは一貫して変わっていないのではないか、と私は考えます。

岡本太郎の生涯で「爆発」について考える時、彼の唱えた「対極主義」を理解することが重要になります。彼の発想の種の多くは一九三〇年代パリで蒔かれますが、太郎が「対極主義」を唱える上での大きな基礎、乗り越えるべき対象として設定したのが、ドイツの哲学者ヘーゲルの弁証法でした。太郎はパリで最も新しい芸術の主張や実践と巡り合いましたが、三〇年代というのは、二〇世紀の思想史を考える上でも重要な時期にあたっていて、そのきっかけとして、アレクサンドル・コジェーヴという哲学者がパリに来たことが挙げられます。コジェーヴはモスクワ生まれのロシア人ですが、ドイツで哲学を修得し、二六年にパリにやって来ます。当時のパリにはヘーゲルの哲学がまだきちんと伝えられていませんでしたから、西洋思想のひとつの集大成であるその体系を、誰が最初に紹介するかがとても大きな鍵を握っていました。このコジェーヴが紹介したヘーゲルには、いささか風変りな側面がありますが、パリの高等研究実習院での彼の講義は三三年から三九年まで続き、それを聴講した学生の中から、後のフランス哲学にとても影響を与える人々が出てきます。たとえばジョルジュ・バタイユ、レイモン・アロン、アンドレ・ブルトン、メルロ＝ポンティといった人物や、ジャック・ラカンもこの講義を受けていました。コジェーヴに触発されて、ジョルジュ・バタイユは「社会学研究会」を三七年に立ち上げます。この「社会学研究会」はコジェーヴも含め、社会学、人類学、民族学、精神分析学、芸術等々のジャンルを超えた新しい知の形を練り上げようとする、まさに当時の知のフロンティアでした。ここに太郎も唯一、極東からの最も若い人物として参加していました。

バタイユは、ヘーゲルを西洋の形而上学、つまりローマ帝国以降の西洋に根差した考え方の雛型を最も高度に洗練させ体系づけた人物として捉え、もし新しい世代がそこから先の時代を切り開くなら、ヘーゲルとの全面対決は避けられないと考えました。そして、彼を乗り越える発想を作り出そうとします。これは実際にはヘーゲルそのものというよりは、コジェーヴの読解したヘーゲルだったのですが、それはさておき、バタイユはそのヘーゲルとの対決を大きなモチーフに添えることになります。

ヘーゲルの弁証法というのは、ある考え方や事象（正）の中には、必ずそれ自身と相矛盾し、対立する要素が盛り込まれている（反）とした上で、自らの内にあるその異質な要素に気付かないのであれば、そこからの進歩も発展もないというものです。そして、歴史の進歩や発展というものは、この矛盾を乗り越えていく（合）ことにより動いていくと説きます。この「正反合」と呼ばれるプロセスは、あるテーゼに対するアンチテーゼは必ずそこから捻出されるが、その矛盾を乗り越えることによって、両者に孕まれる要素を含みこみ、より高く総合された「合一」というジンテーゼに至ることができるということを意味します。それこそが歴史の積み重ねであり、進歩や発展に内在する論理だということを、弁証法は唱えていることになります。

これに対して、岡本太郎の「反弁証法」（＝対極主義）は、太郎自身がヘーゲル研究やいろんな講義を通じて弁証法を理解しつつも、そこに納得のいかないものを感じたところから始まります。パリに残り、ヨーロッパ精神の真ん中で自分ができることを死ぬまでやろうと決心した時に、彼は自分にこう問います。自分が目指してきた美術とは西洋で生まれたものであって、その西洋の根幹にある精神を理解せずして、どうして芸術ができようか。根本的な精神を理解しないまま技術だけ習得しても単なる手習いに過ぎず、精神にはまったく響かない。自分はまず技術以前に、その精神を修得しようということで、彼はパリ大学ソルボンヌ校で、哲学と民族学と精神病理学の修得に打ち込みます。その中で、キリスト教によく似た論理や、ローマ帝国以降のキリスト教の精神を含みつつ、終極へと向かう歴史の進歩や発展といったものをヘーゲルの哲学に見るわけです。しかし、太郎の中にはこうした発想にどうしても納得のいかないものがありました。それは、彼が日本で生まれたことにも関係があったかも知れません。

太郎はこれに対決しようと、バタイユらと考えます。先ほど述べた「正反合」は、テーゼとアンチテーゼがぶつかり合うことで生じる矛盾を乗り越えていく歴史の弁証法です。しかし太郎は、これを乗り越えたように見えても、それで矛盾が消えるわけではなく、そこには何かごまかしのようなものがあると考えます。そして、進歩や発展という言葉では決して解消されない、根源的な矛盾を目の当たりにするのが、芸術の最も根源的な営みだという考えに至ります。ヘーゲルの「合」に反して太郎は、相反する要素がぶつかり合って総合されることなく「爆発」し、解消されない緊張状態が生じることが、芸術にはとても重要だと考えるようになったのです。

美や調和はヘーゲル的な安易な「合一」の受け入れであり、その内側に元来横たわる矛盾から目をそらす行為であるということで、彼は後に「今日の芸術は、うまくあってはならない、きれいであってはならない、ここちよくあってはならない」と唱えます。つまり、ヘーゲルの弁証法の「合一」に対する「否」として「爆発」があったのです。太郎が「爆発」という言葉をいつから使ったのかは定かではありませんが、六〇年代後半にはすでに散見されて、その際に彼は、「『爆発』といっても何か物がバーンと破壊されるようなことではなく、むしろ透明な中でスーッと空間が広がっていく」というふうに言っています。言い換えると、進歩や発展のような美しい言葉の奥底に、あらゆる矛盾が解消されずに沸々とわきたっている、そういう世界を「爆発」と呼んでいたようです。彼は、進歩や発展ではなく、歴史の根源にある消せないもののほうを重視したのです。「対極主義」にあるこの「爆発」の発想と、後に「芸術は爆発だ！」と唱えたパフォーマンスとの間には、実践にまつわるスタイルの違いはあれど、根本的な発想において通底するものがあると思います。

問題は、なぜ岡本太郎が「対極主義」という言葉を捨て、身をもってするパフォーマンスに移っていったかです。七〇年代以降の日本は高度成長が終焉を迎え、あらゆる知識がクリエイティブに生産されるのではなく、記号として消費される時代に移ります。八〇年代以降、さらに急速にそれは進むわけですが、太郎はそのとば口を恐らく一九七〇年という分岐点に見て、単に知識人の言葉で啓蒙するのではなく、自らも身をもって実践し、資本主義の流通の中で、もの凄いスピードで消尽されることに賭けたのではないかと思います。実際、「対極主義」という言葉はいかにも知識人の言葉ですが、太郎はそうしたスタイルをある時期から無効とみなしたのではないでしょうか。この賭けは短期的には完全に失敗し、芸術家としての評価を失いますが、二一世紀までの射程で見た時、実は「芸術は爆発だ！」という言葉によってこそ、岡本太郎の存在が長く語り伝えられる状況が生まれたのではないかと思います。

さて、太郎はさまざまな形で「対極主義」の実践を行いますが、その最大の実践が一九七〇年の日本万国博覧会（通称「大阪万博」）でした。それが《太陽の塔》と、日本の戦後を代表する建築家・丹下健三（一九一三－二〇〇五）の「大屋根」と呼ばれる構造体との対決です。大阪万博には二つの中心がありました。一つは丹下がプロデューサーを務めたシンボル・ゾーンで、とりわけ「お祭り広場」に地上からの高さ三〇メートルを超えて架けられた巨大な屋根、通称「大屋根」です。が、これは実際には屋根ではなく居住空間でした。七〇年当時から見た未来、つまりちょうどいま頃には、二一世紀の人間は空中に住むだろうという発想がありました。大阪万博のテーマは「人類の進歩と調和」ですから、その理念に極めて忠実なモダニズムの具現化として、丹下はそのような構造体を二一世紀に先駆けて提示したのでした。

もう一つは太郎が手懸けたテーマ館です。実は《太陽の塔》は、当時は地下と空中をつなぐエスカレーターのシャフトを包む通路で、巨大なテーマ館の一部にすぎません。それを七〇メートルにも拡張して大屋根に穴を開け、突き立てることで、太郎は「人類の進歩と調和」というテーマを担うことを期待されていたにも関わらず、そのようなものは、近代の内側に潜む矛盾を覆い隠す幻想でしかなく、人類は進歩なんかしていないんだと主張したのです。むしろ万博には純粋な消費（＝消尽）の祭りとしての、あらゆるものを無に帰する「ベラボーなもの」が必要とされているとして、万博会場のど真ん中で反万博的なものを突きつけることを考えました（図1－1、図1－2、図1－3）。

このように一方は進歩を唱え、他方は進歩なんてないと言う、まったく矛盾した二つを同じ場所でクロスさせることが太郎の実践であり、万博という国家の祭りの中心で、容易には解消できない矛盾を一気に「爆発」させることが彼の目論見だったと思われます。「進歩と調和」に対して「贈与と消尽」を対置し、すべてを使い尽くしてご破算にしようとする祭りの中で無化させるわけです。

当時の様子からは、ちょうど水平軸に丹下健三の空中都市があり、それに対して垂直方向に屹立している《太陽の塔》が窺えます。太郎は、この二つの巨大な軸が矛盾したまま交差する「対極主義」的な状況を作ろうとしたわけです。いまは皮肉なことに、未来都市のモデルとして作られた空中都市は老朽化して解体され、未来をまったく考えなかった

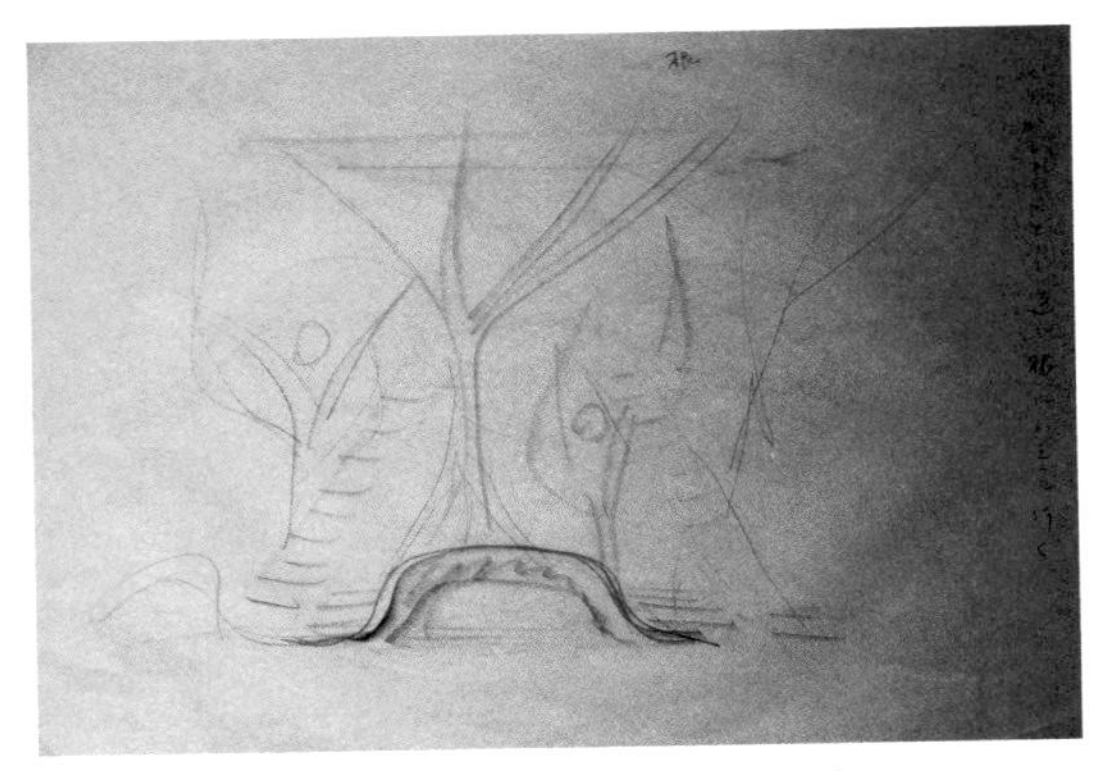

図 1-1　太陽の塔、スケッチ（1967 年 6 月 1 日）

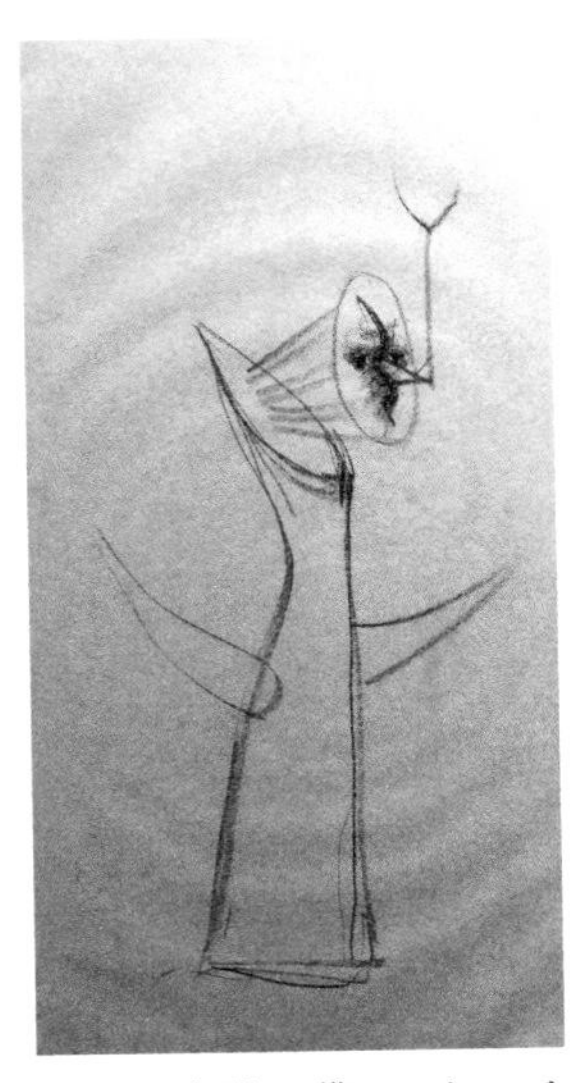

図 1-2　太陽の塔、スケッチ（1967 年 9 月 8 日）

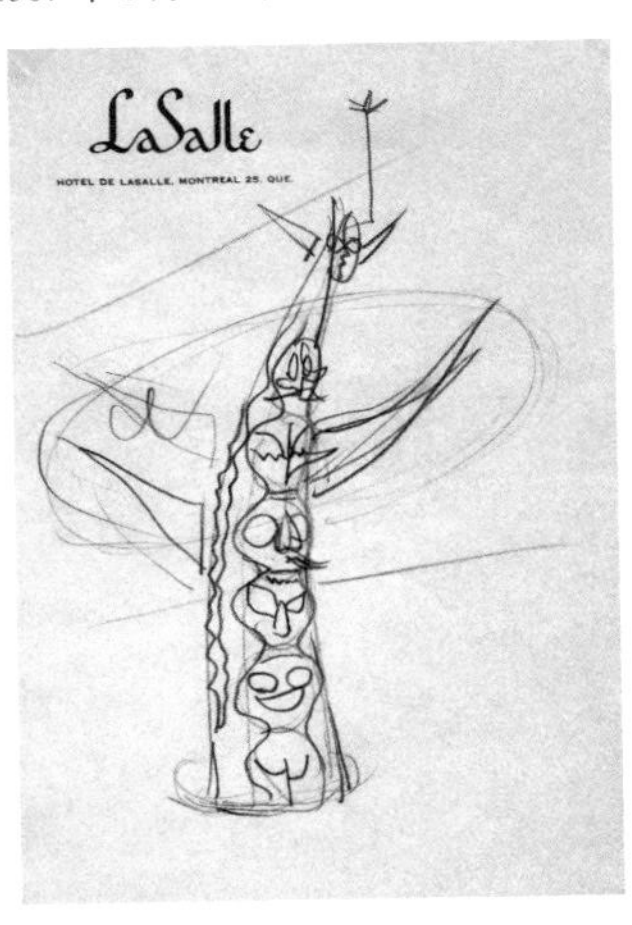

図 1-3　太陽の塔、スケッチ（1967 年 7 月 12 日）

《太陽の塔》が永久保存されることになりました。太郎はこれを残すつもりは全然なかったのですが、現在の万博記念公園を見ると、何か国家の一大イベントのシンボリックな塔が記念碑的な意味合いで作られたように見えます。が、実際には、これは対極的な状況を一時的に作るべく、万博のシンボルである「大屋根」に差し込まれた「否！」の一撃だったのです。ですから、これは万博のモニュメントというより、そのような「爆発」が起こった焼け跡の記念碑として考えるべきだというのが私の考えです。

丹下健三が当時考えた空中都市は「メタボリズム」という当時の思潮に基づいています。この発想は名前からも分かるように要は「新陳代謝」ということで、西洋のように建築とは都市の中に堅牢に築かれた礎ではなく、むしろ頻繁に形が変わったり、細胞のように増殖したり体外に排出されたりしながら、生命体のように都市を覆い尽くしていく有機体で、それが二一世紀の新しい環境となることを唱えました。この「メタボリズム」の実際の仕掛け人は、丹下の右腕として活躍した浅田孝（一九二一－一九〇）という人物です。彼がこのような住環境が重要だと考えた背景には、一九四五年に海軍将校として広島の原爆跡地を目撃し、救助に携わった体験が関係しています。浅田は、いつ核戦争の危機にさらされて消滅するか分からないという冷戦期に特有のカタストロフへの意識から、これからの都市計画家はそのような宿命を前提に、不変の都市を築くのではなく、一種の有機体として存続していく道を探るべきだと考え、そのためには新しい「環境」が重要だと唱えます。実は彼は、「環境」という言葉を一般化させた人物でもあるのです。「環境」という言葉は、一九六〇年の「世界デザイン会議」の開催（この事務局長を務めたのも浅田でした）に前後して「メタボリズム」と結びつけられ、後に、いまの私たちが知る概念に変化していきます。「環境」という言葉は、もともと戦時中に帝国日本が西洋の建築思想を乗り越えるために、構築ではなくゆるやかに異質なものを繋げて場を覆っていくものとして、丹下らによってすでに使われていました。その概念が戦後、浅田を介して大阪万博の「大屋根」に繋がるわけです。《太陽の塔》は、その全てに対し岡本太郎が突き付けた「ベラボーなもの」という無為の概念だったのです。

こうして太郎が戦後に立ちあげ、他界後の再評価に至るまでの「対極主義」の実践としての「爆発」をさまざまな側面から見ると、そこにはいわゆる戦後美術史だけでなく、建築や環境、テクノロジー、世界の破局、西洋思想の超克など、実に多様な要素が流れ込んでいます。ところが、これらを単純に美術史で切り取ってしまうと、そうした背景が全部そぎ落とされてしまうわけです。逆に言えば、こういうところにこそ芸術人類学の芽生える余地があるのではないでしょうか。その意味では芸術人類学には、このような岡本太郎の実践を引き継いで、世紀を超えた新しい芸術を切り開く可能性があるのではないかと思います。このことを念頭に入れたうえで、次に、美術批評の臨界点を通じて芸術人類学の雛型に別の角度から迫った、石子順造の「丸石神」について考えてみます。

3　石子と丸石――二つの石をめぐって

私は美術批評家でもあるので、石子順造（いしこじゅんぞう）（一九二八－七七）という人は、言ってみれば先輩格にあたります。しかし、石子の批評は、美術批評という言語活動の、よくも悪くも限界というか、臨界点を示していた人なので、そのさらに先に美術批評というスタイルがありうるのかどうか、想定がとてもむずかしい部分があるのです。しかし、そこにこそ芸術人類学の萌芽があるかもしれない、そうも考えています。ですから、もし十年後に私がまだ美術批評家であるとしたら、それは石子順造の限界から戻ったことになるのかもしれないし、活動しているとしても、それはもう美術批評でなくなる可能性もないとは言えない気がします。私はもともと「キッチュ」に関心があって石子の本は昔から読んでいましたが、彼が六〇年代に現代美術の評論活動をしていたことはあまり詳しく知りませんでした。ですから、そのことを初めて知った時には、これは同一人物なのかなと思ったくらい意外な印象を受けました。現代美術の評論の他に漫画評論家としての石子がいるうえ、さらに加えて、美術でも漫画でもなく丸石神をおいかけた晩年の石子順造がいるわけです。

したがって、石子順造を語るキーワードは非常に多岐にわたることになります。一人の評論家がさまざまなジャンルについて語ることは別に珍しいことではないのですが、石子の場合、そういうマルチな才能を持っていたという感じとも違います。著作を読めばわかりますが、どちらかというと、非常に不器用な方だったと思うのです。ですから、石子順造という人は多彩な論者というよりも、いろいろな分野に手を出しながらも根底はずっと一貫していて(岡本太郎もそうでした)、その一貫した興味のあらわれが、そのつど本人の中で考えに考えられた末、さまざまなジャンルの形を取って浮上していた——そのように思われるのです。それどころか私は、実は石子には本当に頑固なまでに変わらないテーマがずっとあったのではないかと思います。そのテーマをあえて一言で要約すると「超近代」、つまり「近代の超克」ではなかったかと思うのです。

近代の超克というと、太平洋戦争中の一九四二年に雑誌『文學界』で開かれた座談会が特に有名で、そこでは西洋文明を日本の学者や文学者の手で総括し、乗り越えていくことが目されていました。しかし、戦後に批評の言葉を立ち上げた石子による「超近代」は、そういう勇ましいものではなかった。なかったけれども、個人主義と進歩主義を中核に据えた「近代」がすでに限界にあることを石子ははっきりと感じていて、だからこそ、それは乗り越えられなければならないと感じていたと思うのです。

この命題を、石子は美術という領域で試そうとしました。つまり、美術表現における近代の超克ということですが、それを最もよく表すのが、生前に唯一まとまった美術評論集として刊行された『表現における近代の呪縛』（一九七〇年）という本です。この本の第二章には「美術の近代を超えるために」という章が設けられています。ですが、この本のタイトルは「近代の超克」ではなく「近代の呪縛」なわけです。近代を乗り越えようとする意図は同じですが、石子はそれを大上段に掲げず、まず近代がいかに私たちの思考を呪縛しているか、その「呪い」の様態から論じ始めようとします。私はこれは、批評家としての石子順造のあり方をとてもよく示す口ぶりだと思うのです。研究者や学者としてどんどん先へ進もうとするのであれば、呪縛の様態などという近代の病巣はさっさと切り棄てて、論理的に超克を唱えればよいでしょう。しかし、融通が利かないほど真面目だった石子は、まず自分の足元にあって常に自分を拘束してきた呪縛からしか始められなかったのではないでしょうか。まずはそれにどっぷりと浸かって、それについての思索を徹底するしかなかったのだと思います。

これは私自身もよくわかることで、以前に『日本・現代・美術』（一九九八年）という評論集を出した時、その中で「悪い場所」という言葉を使ったことがあります。これは、日本で批評とか近代を考える時に、どうしてもある種の泥沼的な状況に引きずり戻されてしまうことを指して、「悪い場所」と呼ぶものです。悪い場所など、いっそ無視して先に進めば良いのでしょうが、当時の私は一旦そこに全身で浸かって、言葉を立ち上げ直すことからしか批評の再生はないと思っていたので、あえてそのことをキーワードに使いました。石子の「呪縛」を私の言葉で言うと「悪さ」になりますが、こうしたところから批評家としての言葉を紡ごうとするところに、石子の特質があると感じます。同時に、未完に終わった可能性もそこにあったのではないかと思うのです。

このことは、石子と戦後の美術批評を代表する論者たちを比較するとわかりやすいと思います。戦後の美術批評界には御三家として知られる批評家がいて、いずれも故人となりますが、針生一郎（一九二五－二〇一〇）、中原佑介（一九三一－二〇一一）、東野芳明（一九三〇－二〇〇五）の三人がそれにあたります。三人とも大変活動の幅の広い方々ですが、ある意味で、それぞれの批評活動を要約するイメージをずっと保つことができた人たちだと思います。端的にいうと、それは針生一郎における「政治」であり、中原佑介における「科学」であり、東野芳明における「遊戯」といったものです。この御三家に次いで登場した宮川淳や藤枝晃雄にせよ、それぞれの思考の背後には外来の記号論やフォーマリズムがあり、そのことが彼らの立ち位置を明確にしていました。けれども、石子にはそのような明確なイメージがないのです。あえて言えば「キッチュ」になるのでしょうが、石子にとってキッチュは近代と向かい合うための一種の対抗概念であって、彼の思考の核に据えられたものではありません。石子がキッチュの人でないことは彼の著作集を読むとたちどころにわかることですが、不幸なことにと言うべきか、石子は死後、そのような捉え方をされることが増えて、美術批評家としての評価からは遠ざけられていったように思います。キッチュの紹介者というと、たとえば現在では都築響一のような方がとても興味深い活動をしています。けれども、石子が当時、大漁旗やマッチのラベル、子守唄といったものをキッチュとして紹介した背景には、常に「近代の超克＝近代の呪縛」という図式があったと思われ、そうである以上、都築の『ROADSIDE JAPAN 珍日本紀行』（一九九六年）と石子の『ガラクタ百科』（一九七八年）のようなものは、似ているけれども全然違うものだと言わざるを得ないのです。そもそも石子自身、自分の集めていたガラクタ＝キッチュと言われるものを趣味的に好んでいたかどうかすら、実はよくわからない部分があります。ある種の倫理観によって取り上げていたのではないかというきらいもあるくらいです。

もしも石子がキッチュではなくポップという問題を扱い、近代を先へ先へと押し進める原動力である資本主義と消費文化の問題を扱っていたとしたら、それはまた別の批評的な意味を持ったとも思います。たとえばポップアートの問題は、現在のような時代にあって、その重要度がいよいよ増しています。ですから、六〇年代にいち早く漫画の問題を取り上げ、ポピュラー文化やサブカルチャーにも触手を伸ばしていた石子であれば、大学時代の専攻は経済学だったわけですし、マーケットの問題を通じてサブカルチャーをファイン・アートと接続する批評を先駆的に推し進めることも可能だったと思います。さらに、現在の村上隆をはじめとするネオポップやスーパーフラットといった考えと直接繋がるような領野をいち早く開拓することもできたかもしれません。彼が遺した批評の断片を積み合わせると、そのような可能性が確かに浮かび上がってきます。

しかし同時に、石子の批評は、むしろポップとは正反対のものではなかったかとも思うのです。たとえば彼が一九七一年に書いた「横尾忠則論」は、当時としては珍しく横尾をグラフィック・デザイナーではなく美術家として論じる姿勢を見せながらも、最終的には彼の作品をポップアートの問題ではなく、デザインの領域を通じて性の解放を目指す永続する思考法として捉えています。このように、石子の言及は一見すると現在のネオポップやスーパーフラットの先駆けのようですが、よく考えると実はずれていたり、別のところにいつの間にか導かれたりして、非常に分かりにくい部分が多いのです。その様子はまるで、一歩前進しては半歩後退といった風で、しかも、戻る際の後ろ足がもとあった場所からだいぶずれていたりする。そのずれた場所からまた別の方向に一歩進んで、またずれたところに戻る。全体としてはまったく前進していないどころか、後退したのかさえわからなくなる印象を受けます。

それにしても石子は、近代のいったい何がそこまで私たちの表現を呪縛していると考えたのでしょうか。簡単に言えば、それは進歩主義と個人主義だったと思います。近代の時間軸では、昨日より今日、今日よりは明日というふうに、人類の営為は次々と発展していかなければなりません。岡本太郎のところで触れたヘーゲルと同じです。そのために必要なのは蓄積であって、そうした知の蓄財があるからこそ、それを共有の下敷きとして文明をめぐる一種のリレー競技が可能になります。これは政治や科学の世界では自明のことですが、果たして表現においてもそうなのでしょうか。これはとても大きな問いかけだと私は思います。

私たちはしばしば、自分の心を打つ表現に出会う時、それを近代的な尺度で捉えていないことに気が付きます。例えば、ある絵を見てなぜか目が離せなくなるとか、忘れていた言いようのない感覚が呼び戻されるとかいう体験がこれにあたります。そもそも、芸術を体験する上でもっとも重要と考えられる記憶を振り返った時に、私たちはそれが美術の歴史にどう貢献し、何という名前のどこで生まれた作家によるものなのかについて、いちいち実証的に考えるでしょうか。あとから調べることはあるにせよ、最初からそれを念頭に入れた感動などというものが、果たしてあるでしょうか。仮にあるとしても、そのために自分が本当によいと感じる体験が歪められるとしたら、それこそが近代における表現の呪縛ではないかと思います。

つまり、近代において美術表現を呪縛している当のものは、美術をめぐる「見ること」への教育的な制度そのものです。それゆえに、石子はその呪縛にとらわれない表現を探し、具体的には、たとえば漫画を扱ったのだと思うのです。なぜなら、漫画の中では歴史を主軸とする進歩主義や作家主義は、すくなくとも美術のようには機能していませんでした。そのささやかな非拘束から生まれる表現に、石子は可能性を見たのではないでしょうか。だからこそ、評画誌『フェニックス』(一九六〇年)を刊行し、個人の営為や創作的な営為に還元できない共同作業や、批評と創作の分業を超えた表現に迫ることもしたのではないでしょうか。

他にも、一九六八年に中原佑介と企画した展覧会「トリックス・アンド・ヴィジョン　盗まれた眼」が試みとして挙げられます。この展覧会は後の「もの派」に繋がっていく伏線としていまでは頻繁に名が挙がりますが、中原と石子との間には、実際には少なからぬ隔たりがあったと思われます。中原が示した美術表現における物質への関心は、後の第一〇回東京ビエンナーレ「人間と物質」(一九七〇年)へと繋がり、その動きは七〇年代を通じて「もの派」以降の表現へと成熟していきました。そもそも、この展覧会は名前にもあるとおり、錯視的な、あるいは知覚心理学的なイリュージョンを扱うもので、乱暴に言えば「だまし絵」のようなものです。同時にそれは、当時欧米で注目を集めたオプ・アートやコンセプチュアル・アートへと繋がる類似性を持っていました。

ところが、石子の関心はまったく異なっていたと思われます。石子の関心は、先に述べたように成熟どころか、美術という近代主義的な表現から距離を取る身ぶりの中で得られたものです。恐らく石子は、オプティカルな効果だけで実態のない目の錯覚のような現象──石子にならって言えば「あらわれ」となりますが──そうしたあらわれの中に作家性には還元できない匿名性や、純粋な目の楽しみを見たのではないでしょうか。言い換えれば、作品の制作を前提に継続的な活動をする作家や、保存が可能な作品にではなく、一瞬しか可能にならず、定義も永続も不可能であるような純粋な「あらわれ」に見ようとしたのだと思います。だからこそ、この展覧会に参加した作家のうち、一方は美術界での主流としての評価が定まっていくのに対して、石子が静岡を拠点に形成していた「幻触」のメンバーは、後に「もの派」の「前夜」として総括されていくことにもなりました。石子が美術界での大きな動きに関与しながらも、評論家として十分な後ろ盾となり、評価を定着してくれないことに対して、不満の声が上がったのも事実でしょう。それどころか、この頃より石子は次第に美術批評そのものから距離を取るようになり、現代美術からすれば俗悪とされるキッチュ全般や小絵馬のようなものにのめり込んでいくようになるのです。

しかし、周囲の失望や誤解はさておき、石子の中でこの移ろいには必然性があったと思われます。彼の考える呪縛とは、ある表現が個人を啓蒙するための対象になってしまうようなことや、物質的に特定されて美術館や美術史に作品として保存されてしまうことにあったと思われます。そうだとしたら、石子が名を持たぬ「あらわれ」に向かっていき、しだいに名を優先する美術から離れていったのも当然のことと思えます。美術や美術批評という近代のメカニズムに身を置きながら、同時に個人の名のもとの支配や所有の実態から離れようとすること自体に無理があったと言うこともできます。しかしだからこそ、石子が美術界そのものから距離を取るようになるのは、いずれ避けられぬことだったとも思われるのです。

他方、「トリックス・アンド・ヴィジョン」展に発した知覚と出来事の連鎖からなる新しい美術は、石子の歩みからは離反するように、現代美術としての評価を確実なものとし、いまではかつての絵画や彫刻と同じ扱いで美術館に飾られ、収蔵庫に保管され、学芸員による調査や研究の対象となっています。それはそれでもちろん意味があることですが、石子がその様子を見たらいったい何と言ったでしょうか。

現代美術の後、石子は小絵馬に関心を寄せて、『小絵馬図譜――封じこめられた民衆の祈り』（一九七二年）という一冊の本編著にまとめました。この本には日本全国数百カ所のお寺を巡り、石子自身の手によって集められた小絵馬の写真が、膨大な数載せられています。ここでの絵馬とは、美術全集に載るような作者のはっきりとした大絵馬ではありません。普段あまり人の立ち寄らない絵馬堂で、なかば朽ちたように並べられ、名もなき民がひそかな願望のために奉納した、他愛もない神への嘆願書のようなものです。これについて石子は次のように書いています。

> ぼくは、当初から小絵馬を美術品や郷土玩具、あるいは民藝の一種とみなすつもりは毛頭なかった。いわばそれ以前の、生活のある在りようとしての表現＝文化のしるしの一つ、と考えていた。その考えは変らないのだが、同時に、そのような表現＝文化について語ることの困難さを痛感せざるをえなかったのである。小絵馬について語ることは、歴史それ自体のあつみとはばとして微妙に織りなされている民衆の生活の文法をたぐってみることでもあるだろう。とすれば、それは、より深く広く、〈ことば〉そのものの問題にならざるをえないのだ。[1]

ここで石子はとても重要なことを言っています。第一に、石子にとって小絵馬は、いわゆる民俗学的・文化人類学的な関心の対象ではなかったことです。彼にとっての小絵馬とは、あくまで美術という近代的表現の呪縛の先にある非認知的な祈りのあらわれでした。つまり、決して現代美術の評論から民俗学研究に移ったということではなく、表現という問題を突き詰めた結果、石子は現代美術から小絵馬へとたどり着きつつあったのです。

しかしながら、今度はそれゆえの困難に石子は突き当たります。彼の小絵馬研究は学問ではないため、アカデミズムの世界が採用するような記述をすることはできません。けれども、石子が磨いてきた美術批評の言葉も同じくここでは無効なのです。作り手もなく保存もされない世界では、価値定めをする言語表現は最初から意味をなしません。元「幻触」のメンバーであった鈴木慶則（一九三六－二〇一〇）は当時の様子について、『石子順造とその仲間たち　対談集　静岡からのメッセージ』（二〇〇二年）という本の中で次のように語っています。

盲のおばあさんが絵馬堂の中にいて、そして、絵を描くんですよ。何十年と筆の習いが身体化していますから、十二支が自由に描けるんです。その絵がこの本の中に載っていますけれども、一枚当時二〇円でしたね。紙絵馬ですからね。紙の上にマジックで書いてあります。それが、滝不動の滝に打たれて散らばっているんですね、その場に。そして水性のマジックインクの場合には、ほとんど流れちゃうんです。紙だけが白々しく散らばっているんですね。

美術とくらべてみると、それはとんでもないことなんですね。消えちゃう、無くなってしまう。汚れて汚らしい。ゴミだ。にじんだということになるんですけれども、石子さんに言わせると、その散らばる泥絵具だから流れてしまう、そこにこそ絵馬の良さがあるのではないかという評論ですね。[2]

石子は、かつて美術批評を手がけた時と同じ難問にここで突き当たっています。いや、もういちど別のかたちで戻っていると言っていいかもしれません。石子にとって「トリックス・アンド・ヴィジョン」展の本質は、物質としても名前としても消えて残らない純粋なあらわれにあるのであって、その意味ではすでにその段階でほぼ小絵馬と同じ次元にあったと思われます。だとしたら、石子が小絵馬を語るにあたって、「それは、より深く広く、〈ことば〉そのものの問題にならざるをえない」と書いたことにも納得がいきます。石子さんにとって、あくまでもそれは近代における「こと＝言＝事」の問題に他なりませんでした。しかしここで、石子は再び表現における近代の呪縛というふり出しに戻ってしまっています。

石子が丸石神に出会ったのは、このような時期のことでした。芸術人類学研究所の初代所長であった中沢新一の父、中沢厚（一九一四－八二）の著作『山梨県の道祖神』（一九七三年）を手にしたのがそのきっかけです。そこに数多く載せられた丸石神に、石子は強く惹き付けられると同時に、すぐにその本質を見抜いたと思われます。

丸石神は小絵馬と違って、最小限の作り手すらおりません。基本的には河原で拾われるだけです。そこには近代芸術を支えてきた創作の主体はなく、いつできたのかも判然としません。無論、美術館に収蔵されることもありません。しかし、それでいて鑑賞に堪えるのです。これはどういうことでしょうか。

結局、何かの対象に備わる形や色をただただ味わうのに、実は近代的な美術を支えていた諸制度などは必要ないのです。作家名とか制作年、制作の意図とか保存といったことをすべて抜きにしても、芸術体験は生ずるのです。石子は、その端的な例を丸石神に見たのではないでしょうか。これは、言ってみれば一つの境地です。芸術体験のために作家名も作品名も意図も――特に意図は「コンセプト」という形で現代美術で最も重要視されています――それすら必要ないのであれば、もはや批評は成立しません。けれども、石子が求めていた言葉の先にある世界とは、実はそのような境地だったと思われます。宗教家ではないので、信仰に基づく境地ではありません。それは端的に「そこにいいかたちがある」という意識の状態まで還元される体験のことなのではないかと思われます。それは、結局は近代の諸制度にからめとられてしまった「もの派」の先にあるはずの、あるいは、もとは備えていたかもしれなかった世界観だと思うのです。

後に「もの派」周辺では美術批評家が前にも増して必要とされ、むしろ批評の言語によって束ねられているようにすら感じられるのに対して、石子はますます美術批評から距離を取るようになりました。それは石子の転向といった次元のことではなく、むしろある種の徹底ゆえのことだったと言うべきでしょう。

そのような石子の徹底に「幻触」のメンバーでもっとも近かったのが、小池一誠(かずしげ)(一九四〇－二〇〇八)であったと思われます。小池は一九六九年の第九回現代日本美術展や東京ビエンナーレに石の作品を出品するなど、「幻触」の中でもあらかじめ丸石神にとても近い場所にいた作家です。先の『石子順造とその仲間たち』の中で、小池は次のように語っています(図1－4、図1－5、図1－6)。

僕は、「丸石神」を見に歩く前に、石にはかなり興味があった時期があります。藤枝東高校に勤めていたころ、放課後になると、瀬戸川の入口の方に行きまして、土曜日

図 1-4　「石子順造と丸石神」展ポスター

図 1-5　石子順造

図 1-6　「石子順造と丸石神」展　小池一誠　展示風景

なんかはほとんどいたと思いますが、いつも河原でぼけっと考え事をしていた時期がありました。二〜三ヶ月続けて。友達から言わせると、おまえはいったい何をやっているんだと笑われたことがあるんですが、僕にとっては、当時石っていったい何だろうかと、ものすごく気になりました。河原で物事を考えているうちに、何の変哲もない石って、本当にあるのだろうかということをきっかけとして、何の変哲もない石、もっと簡単に言うと、つまらない石というものも、拾い上げるとけっこうきれいだったり、あるいは何かに見えたりするんですね。ところが、本当につまらない石というのはあるのかなあと思って、一生懸命に探したことがあるんですが、いくら探してもないんですね。[3]

ここでの小池は、確かに近代の先の眼で石を見ています。というのは、本当につまらない石があるのかと思ったけれどいくら探してもない、というのも、やはり一つの境地であるからです。そして、それは美術家にとっては大変危険な境地です。その辺の石のどれをとってもつまらない石は一つもないならば、もうわざわざ作品と称して造形したり、色を塗ったりする必要はなくなります。必然的にか、小池はその後、いわゆる美術作品をすすんで発表することがなくなりました。しかし、美術家を辞めてしまったのかというと、これはそれとも違う事態なのです。ちょうど石子が美術批評を辞めたわけではなく、ある徹底の結果、旧来の美術からおのずと距離ができたのと同じように、小池もまたよく似た別の徹底ゆえに、美術家とは呼ばれない場所にいつの間にか立っていたというべきでしょう。

小池は、二〇〇八年に他界します。大変残念なことですが、私は『石子順造とその仲間たち』という冊子を通じて、最晩年の小池と出会うことができました。それだけではなく、小池の記憶と中沢厚が著書の中に残した地図を頼りに、一緒に甲州の丸石神めぐりをすることができたのです。

私は二〇〇七年の春から一年間、ロンドン芸術大学の客員研究員に招かれて渡英することになっていて、丸石神への旅はその直前に行われました。帰国後の方がゆっくりと調査できるかもしれないとも思いましたが、なぜか気持ちがはやって申し出たところ、『石子順造とその仲間たち』の著者である本阿弥清（ほんなみきよし）の計らいもあって、渡英前に実現することができたのです。それは、記憶の糸を手繰るようにして丸石神を見て歩く小池との短い旅でしたが、一日同行しただけで、小池が石の形について驚くほど鋭敏な感覚を持っていることがすぐにわかりました。「どんな石でもつまらないものはない」という小池の言葉は、それはそうなのですが、それだけではなく、とびきり形のいい石というものもやはりあるのです。小池はそれを即座に感じ取って見抜く力に抜きん出ていました。たとえば、ひょいと河原に出ただけで、遠目にも十分道祖神として祀られてもおかしくないような石を、すぐに見つけてしまうのです。これには本当に驚かされました。

その後、イギリスから戻って暫くして、小池が私の渡英中に亡くなったことを知りました。大変残念でしたが、同時に、今回の最初のきっかけは、他でもない石子が用意してくれたものであったことに改めて思いを強くしました。そして、石子が丸石神に関心を寄せるきっかけとなった中沢厚の子息の中沢新一と何かできないものかと勝手に思い、手紙のようなエッセイを季刊『InterCommunication』に寄せました。それが伝わったということではないのでしょうが、その後、中沢が芸術人類学研究所の所長に就任し、私も所員の一人となることで中沢から丸石神にまつわる企画の話があった時、私の脳裏に最初に浮かんだのは、石子順造、小池一誠、中沢厚という、それぞれが美術批評、美術家、民俗学というふうに異なる立場にいる人たちに、丸石神を通じて再会してもらうきっかけとなるような展覧会ができないものかということでした。その企画が研究所を通じて実現したとき、とても不思議な気持ちになったのを覚えています。

ところで、石子の晩年の批評を読むと、丸石神に惹きつけられつつも、それに惹きつけられて何かを語ってしまうことへの怖れのようなものも強く感じます。ですから、もし石子の延長線上に丸石神そのものの研究や批評ではなく、それを別の方に置き換えていく可能性があったとしたら、そちらの方にこそ可能性があったのではないかと私は考えているのです。それとも少し繫がるのですが、石子や中沢厚、中沢新一が執筆に加わった『丸石神　庶民の中に生きる神のかたち』（一九八〇年）の本の最後に石子の「石を選ぶ直観」というエッセイが出ています。この本の最後にこの文章が載っているということは重要なことではないかと私は思うのですが、この文章で、石子は「いいカタチ」について盛んに書いています。この「いいカタチ」というのはいろいろな意味を兼ね備えていて、近代的な制度としての、例えば論理学とか倫理学とか哲学とか、美学的な棲み分けの中で「いい」というものではなくて、それらを全的に包括するような意味での「いいカタチ」があると言っています。

これは石子がまさしく丸石神から学んだことだと思うのです。でも不思議なのは、このエッセイでそう言いながらも、そういう「いいカタチ」が丸石だけではなく、《プラストン》にもあると書いていることです。この《プラストン》は、丸石神的な自然との象徴的な関係からほど遠い、いわゆる人工樹脂の、まがいものの石のことなんですね。人工石を作るメーカーがあって、その商品名が《プラストン》です。《プラストン》はあまり重さがないので、例えば運び入れるのがむずかしい地下などに庭園を造るときには、自然石よりずっと容易だということなのです。だからこれは丸石神的な、長い歴史を通じて人々の記憶に受け継がれてきたものとは対極のもので、中はがらんどうで、本当は偽物でしかないのですが、そこにもやはり、「いいカタチ」はあると石子は言うのです。それまでの流れから考えると、こんなのは丸石神とはいちばん遠いものだと言いそうなところですが、ここで両者を横断する「いいカタチ」があると言い出したところで、この本の最後の文章になっているのです。

これはつまり、本物にもまがいものにも変わりなく、「いいカタチ」というものはあるということだと思うのです。つまり、このエッセイのタイトル「石を選ぶ直観」の、この直観というのは、造形といった西洋的な価値の尺度ではなく、いっさいの美学的な判断によるものではないのです。石子は直観に優れた非常に鋭い人だったと思われますが、近代的な、対象を批評して品定めをするような価値判断ではなくて、「いいカタチ」といったときには、おそらくそういう質的な判断ではないのです。本物と言われるものにも偽物にも、その真偽の区別を超えた「よきもの」がある、ということだと思います。

このような次元では、現代美術のことはたぶん、もうあまり関係がなくなっているのです。たとえば、このエッセイで石子が《プラストン》の特徴を挙げているのですが、それがどこかで丸石に関して彼が考えていた「よさ」と繋がるところがあります。それは《プラストン》のパンフレットに出ているただの説明なのですが、具体的に挙げると次のようなものです。

――「■真物との区別が　まったく見分けられません。■重量が非常に軽く　輸送・移送が簡単です。■耐熱・耐水性に強く　変色の心配もありません。■強化ガラスの補強により　衝撃にもびくともしません。■施工が簡単で　建物をいためる心配もありません。■どんな大きさのものも　つくることができます。■仕上げ（質・色・形）は　どのようなご希望にも応じられます」[4]。

これはまったくパンフレットそのままの言葉なのですが、個々の文章を追うと、石子はどうもこうした点にずいぶんと惹かれているようなのです。無論これは、そのまま丸石神の定義に結びつくようなものではないのですが、文化の真偽を超えて、よきかたちがあると彼が考えていたことはあきらかです。というのも、この文章は途中から《プラストン》のことばかりになっていきます。丸石神のことはどこかに飛んでしまっているのです。しかも石子はこの文章の最後のところで、次のようなことを言っているのです。

《プラストン》に代表されるような日本人の天然物模造には、〈いいカタチ〉といった美感・価値感・倫理感を通底する、無残な存在感の惨状を見る思いがぼくにはするのである。それはまた、日本近代の一つの結着点を表示するシンボルとはいえないだろうか。[5]

つまり、最後にはもう丸石神論ではなくて《プラストン》論になっているのです。以前、この本を編集した中沢に確かめてみたところ、本当はこの部分は削りたかったのだそうです。でも、結果的にここが残ったことによって、石子の二一世紀というものがこの文章に託されているような気がします。ここで石子が書いている《プラストン》は、あきらかに丸石神を経て出てきているのですが、そこに還っていくものではないし、キッチュとも違う。途中でぶつりと終わっているようなところもあります。ですがそこには、言葉の力だけで近代の呪縛を解いていこうとするのではなく、「かたち」のなかに近代の一つの結着点を見ることによって、別の「もの語り」を模索している形跡がはっきりと認められるのです。こういうところに、石子の丸石神への関心が、従来の文化人類学の枠には収まらず、むしろ芸術人類学の方に近づき、さらに言えば美術批評のあり方そのものも刷新してしまう「祈り」へと肉薄する可能性／不可能性のほうに向かっていたことを、強く感じるのです。見方を変えれば、それは岡本太郎の呼ぶ、自然と人為がぶつかり合う対極主義的な

「爆発」の兆しでさえあるのかもしれません。

4　日本列島と〈大地？〉

ふりかえってみたとき、この十年というのは非常に大きな出来事が立て続けに起きた時期でした。その中にはもちろん東日本大震災のようなとても大きな自然の猛威の露呈があって、他方、それをきっかけに東京電力福島第一原子力発電所のメルトダウン事故のように人為の限界が誘発され、私もそれについて考えることを中心に据えて、これからの文明の行方や、まだ見ぬ芸術のあり方などについて、従来の美術批評のあり方を刷新しつつ、具体的にはたとえば芸術人類学という枠の中でいま一度組み換え、捉え直すことを実践して来ました。それこそ、これまでの社会の基盤がまるごと解体されたわけですから、そこからどうやって人類の知恵を組み立て直していくかというのが、非常に重要だと思っています。その際、政治や経済、社会学や精神分析と比較したとき、芸術という枠組みは、むしろこういう局面でこそ本来の力を発揮しうる領域なのではないかと考えています。

実はこの節を「日本列島と〈大地？〉」という見出しにしたのは、そもそも日本列島に大地と呼べるようなものはあるのかというような、そういう疑問を震災以降、非常に強く感じるようになったので、あえてこのクエスチョンマークを付けているのです。震災ということが大きなきっかけになったわけですが、もともと人類の文明には災害、疫病、戦争、近代以降であれば事故や公害という負の要素が必ず付きまとうわけで、これを排除することは原理的にはできないし、無理やり排除しようとすると、いわゆる想定外ということがもっと大きな規模ではね返ってくるという悪循環が起きてきます。しかし、負の要素だといってこれらを問わないわけには現代の思想や哲学、美意識というのは成り立たないし、芸術や表現の原点には、最初に触れたとおり必ずそういう側面がありますので、そのような観点から芸術表現そのものを捉え直していく必要があります。

〈大地?〉と付けているのは、このところ大きな地震が日本国内外で立て続けに起きていて、それだけで直ちに大きな地質学的な変化が起きていると結論付けることはできないけれども、事実だけ拾っても、日本列島では東日本大震災以降、震度七クラスの地震があいついでいます。二〇一六年の春に震度七を立て続けに記録した熊本地震、同じ年の秋に鳥取県中部で震度六弱、二〇一八年の六月には大阪府の北部で震度六弱、秋には全道停電という前代未聞の事態となった北海道胆振東部地震で震度七、二〇一九年には六月に山形県沖を震源とする地震で震度六強が記録されています。いずれにしても、今後も大地が揺れ、地震が起き続けていくことだけは疑いえないわけです。日本列島というのはプレートのせめぎ合いから生まれた地学的な付加体なのだから、われわれが住んでいるこの場所は、大地というといかにも安定してどっしりとした基盤のように思われるけれども、そういうものではないかもしれないと感じるようになったのです。

実際、ヨーロッパでも西ヨーロッパにはほとんど地震がないのです。一八世紀にリスボン地震という非常に例外的な巨大地震があって、大津波がリスボンを襲い、これがキリスト教の聖なる集会の日に起こったため多大な被害者が出て、神に対する信頼が揺らぎ、カトリックの勢力が弱体化して啓蒙思想が力を得て、これに続くパリのフランス革命などの基盤となる人権思想を鍛えていった経緯があります。先ほど西ヨーロッパには巨大な地震がないとはいいましたが、逆にいえば、ひとたび起きれば思想史的な一大転換点となりうるし、やはり歴史の局面ごとに、ペストの大流行などもそうかもしれませんが、人の力ではいかんともしようのない疫病や災害のような要素というのは、極めて大きな意味を持つと思うのです。

東日本大震災に話を戻すと、こうした非常に大きな出来事に対し、芸術や表現のうえでなにがしかのアプローチをしようとしたとき、従来の美学・美術史であるとか文化人類学であるとか美術批評であるとか、そういうやり方だけではどうしても限界があると考えるようになりました。そんなこともあり、私は二〇一四年から私だけでなく三人の美術家、と言っていいのか分からないのですが、一人は赤城修司という福島市に在住の高校の教員の方、それから飴屋法水という演劇の演出家の方、さらに山川冬樹というホーメイの歌手でもあり美術家でもある方々と四人で、これまでなら表現者と批評家というふうに分離されてきた関係だけれども、お互いの知恵や経験、技術を出し合うかたちでいま起きている事態に共働して当たっていこうということで、「グランギニョル未来」（グラン＝ギニョルとは一九世紀末から二〇世紀初頭にかけてパリで演じられた残酷劇の一種で、ここでは飴屋が一九八〇年代に主宰・活動した「劇団東京グランギニョル」から着想を得ている）というユニットをつくったのです。これは何とも説明が難しいもので、アートユニットでもないし、いわゆる多分野コラボレーションのようなものとも違っていて、非常事態に対処するため、緊急に一時的につくった人の集まりのようなものです。

説明が難しいのには別の理由もあって、というのは、この「グランギニョル未来」が参加している二〇一五年三月一一日から始まった国際美術展がいまも継続中なのですが、それは〝見に行くことができない〟からなのです。ただし会期終了は未定です。展覧会全体のタイトルは「Don't Follow the Wind」といって、「風を追うな」という意味ですが、会場となっているのは福島県浜通りの帰還困難区域と名付けられている地区になります。震災以降、特に原発事故があってから、私たちはそれまで聞いたこともないような日本語を

図1-7 「Don't Follow the Wind」展の一角には、震災直後に落下したと思われる新聞などが昨日のことのように残されている。
(2018年2月21日撮影)

たくさん聞くようになりました。例えばベントとか、シーベルトとか、除染とか、ここでの帰還困難区域もそうですが、非常に奇妙な聞き慣れない日本語が数多く使われるようになりました。こういう言葉をどうやって表現の中で捉え直していくかというのも、批評家として大きな課題ではあるのですが、そのことも含めてこの展覧会に「グランギニョル未来」というユニットを通じて参加しているのです。

この展覧会の会場となるのは帰還困難区域という震災以降、福島原発から放出された放射性物質が地面に沈着し、人が住めないぐらい酷く汚染された場所ということになります。こういう場所が人類史上、極めて特殊な場所であることはあきらかです。チェルノブイリがあるじゃないかというかもしれないけれども、人口密度や人々の生活様式がまったく違っている。ここに三か国のキュレーターによって選ばれた、発案者でもあるChim↑Pomをはじめとする一二組、六か国のアーティストがそれぞれの作品を区域内に設置しています。でも、それを見に行くことはできないのです。帰還困難区域というのはバリケードで封鎖されているので、中に入るためには特別な許可が必要となります。許可というのは、その中に家があって外に避難している住民の方が家に一時帰宅する場合、もしくは国が大規模な予算を投じて行っている除染などの作業員の方々、あるいは特別に公益性を持つことを認められ、事業として自治体の許諾を得て入る場合とがあるのですが、それ以外ではなかなか入ることができません。ですから、この展覧会は一般の人は見に行くことができない展覧会なのです。また、場所が特定されると盗難などの怖れがあることもあって、会場の位置は公開していません。説明が難しいというのには、そういう理由もあるのです。（図1－7、図1－8）。

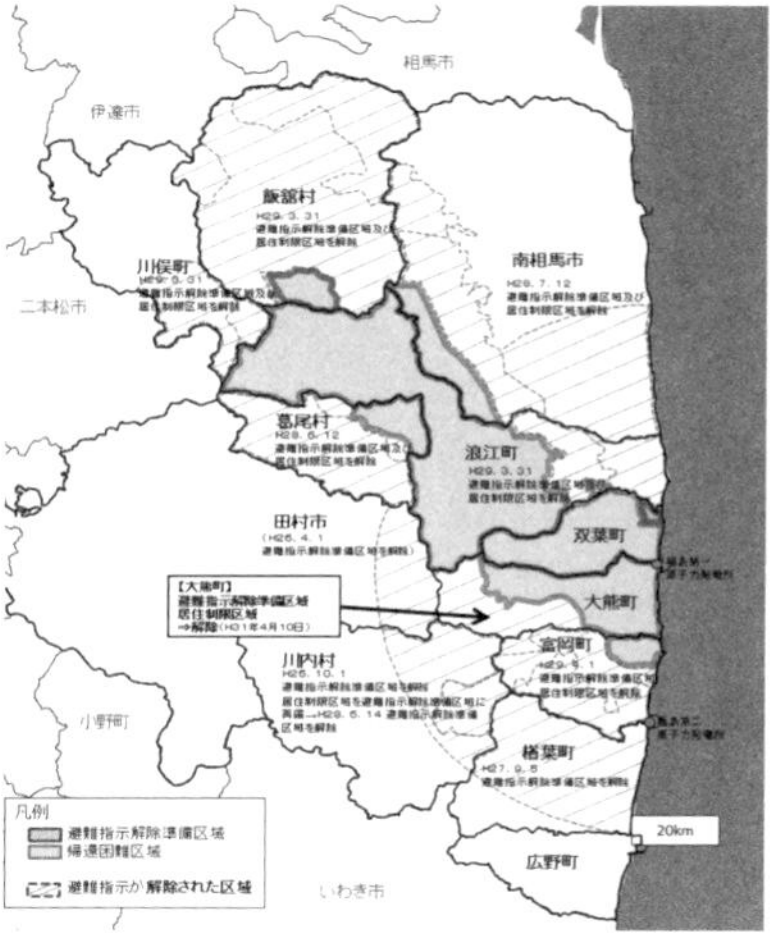

それでもせいぜい言えることがあるとしたら、目に見えないというこ

図1-8　避難指示区域のイメージ
（2019年4月10日時点）

と、何もないということ、それから人が住まなくなり、記憶が失われつつある場所をどう再生していくのか、未来に伝えていくのかということが、この「グランギニョル未来」の活動に関係するのではないかということくらいでしょうか。

この展覧会は、会期についても終了が未定です。それは、この一帯は当初、帰還困難区域、居住制限区域、避難指示解除準備区域というように分かれていましたが、放射線量が下がって帰還困難区域が居住制限区域になると順次、バリケード封鎖が解かれる。そうしてバリケード封鎖が解かれた場所にたまたま私たちが設置した——私たちというのは私自身、実行委員の一人であると同時に出品作家でもあるからですが——そこに設置済みの作品があった場合、その部分からまだら状に公開されていきます。でも、最終的に全部の作品が公開に至るまで何年かかるかちょっと分からない。それがいつなのかはいまは誰にもわからない。帰還困難区域の中の一部はいまでも高い汚染を保ったままなので、もしかしたら十年とか二十年とか、あるいはもっとかかるかもしれないからです。

そうすると私はいま、五七歳なので、仮に三十年要するとなると、その時はもう八七歳だから、生きているかもしれないけれども寿命が尽きているかもしれない。だからその前に別のメンバーに託したり、あるいは新たに別の協働者に加わってもらうことで、この記憶というか、この場所の問題をできるだけ長く、遠く未来へと送り届けなければならない。

そのような表現未満とでもいうか、そういう正体が未明の領域にいま踏み込もうとしているところなのです。私たちは一時帰宅者の方々に随行する許可を取ったり、あるいは自治体からの公益事業の認可を受けてこの「非・場所」に立ち入っていますが、こうした手続きは従来の国際展やアートプロジェクトとはまったく違っています。

これらの共働作業を通じて、私は批評家として帰還困難区域というのがいったい何なのかについてずっと考えていて、繰り返しそこへ調査に入っているのですが、そこは、住んでいた方々が外に避難することで帰れなくなった場所です。けれど、この帰れなくなった場所というのは、この震災だけに特有のことではなく、過去にもさまざまな形で帰れなくなった場所というのが歴史の中に散らばっている。原発事故で生まれたこの帰還困難区域というのが何なのかについて考えるため、過去の事例についても接続しながら、この特異な場所について思索していくというのが、私がいまやっている美術批評の延長線上にある実践であり、芸術人類学の開拓そのものでもあるのです。そして、そういうことについて考え、行動しようとしたとき、岡本太郎や石子順造が残した軌跡が、ひとつの大きな導きとなっていることに気が付くのです。

1　石子順造編著『小絵馬図譜——封じこめられた民衆の祈り』芳賀芸術叢書、一九七二年、一四二‐一四三頁

2 虹の美術館編『石子順造とその仲間たち 対談集 静岡からのメッセージ』特定非営利活動法人 環境芸術ネットワーク 虹の美術館、二〇〇二年、二五頁

3 虹の美術館編前掲書、一三六頁

4 丸石神調査グループ編・著者代表 中沢厚『丸石神――庶民のなかに生きる神のかたち』木耳社、一九八〇年、二〇一頁

5 丸石神調査グループ編前掲書、二〇四頁

付記 以上の文章は、多摩美術大学芸術人類学研究所紀要『Art Anthropology』に掲載された「「爆発」から「稲妻」へ～二十一世紀の芸術がはじまる～【前編・爆発編】」（3号、二〇〇九年）、「石子と丸石――ふたつの石をめぐって」「石子順造と丸石神」（6号、二〇一一年）、「日本列島と〈大地？〉」（12号、二〇一七年）、「空中の洞、地底の顔」（13号、二〇一八年）、「芸術人類学とはなにか」（14号、二〇一九年）をもとに本章のために全面的に再構成したものである。なお、文中の敬称は略した。

第２章

「ホモ・オルナートゥス：飾るヒト」

――分節されない皮膚

鶴岡真弓

1 「ホモ・オルナートゥス：飾るヒト」の誕生

†先史と現代に生きる「ホモ・オルナートゥス」

「ホモ・サピエンス＝知恵あるヒト」
「ホモ・ファベル＝造るヒト」
「ホモ・ルーデンス＝遊ぶヒト」

これは私たち現生人類とは何かを表す三つの定義です。嵐が来る前にシェルターを設営でき、戦いの相手に贈与もできる「知恵」を持ち、生きるための利器を「造る」工作者であり、自然の材料を活かすデザインで「遊ぶ」心も発揮できる現生人類。しかしこれらに加え、四つ目の定義が不可欠と私は考えてきました。

「ホモ・オルナートゥス＝飾るヒト」です。

地球最大の大陸「ユーラシア」の諸民族の服飾・装身具・住居・墳墓等に生命的な「渦巻」文様がみられます。西はアイルランド、ヨーロッパ最大の古墳ニューグレンジに置かれた巨石の渦巻。極東のシベリア沿海ではスウチュウ島の新石器時代の土球にも渦巻がみられます。極西から極東までの一万キロにわたり、一万年を超えてみとめられる文様です（図2−1）。

ではなぜ人類史において渦巻文様が繰り返し表現されてきたのか。二〇世紀の人智学者で芸術家ルドルフ・シュタイナーが引くゲーテの詩の一節があります。

永遠がすべてのなかで絶えず生じる。
幸せな存在でありつづけよ。[1]

図 2-1　ニューグレンジの巨石の渦巻文様
5000 年前

ここには、『ファウスト』でゲーテが繰り返し記した、生きとし生けるものの「永遠」や「循環」への祈りが滲み出ているとともに、渦巻文様を墳墓にまで刻んだ人類の「根源的思考」が示唆されているように思えます。人類は生きるための「衣食住」の隅々に「装飾」を施し、「幸せな存在でありつづけ」るための護符としてきたのではないでしょうか。

「装飾」の営みは、「生と死」に向きあった遥かな先史、

図 2-2 「ツタンカーメンの棺形容器」

ネアンデルタール時代末期にまで遡ると考えられています。シャニダール洞窟（トルコ）では人類が野の花を摘んで死者に手向け哀悼したと推測されています。厳かに花を「飾る営み」は、太古から現在までの人類史においてほとんど変わらず、「装飾」は、ヒトの生と死に寄り添ってきたことを示唆しています。

新生児が誕生すると白いレースや花模様の刺繍で飾った産着で祝い、成人式など成長の節目にはどの民族も晴れ着を着て、節句には安寧を願う花やリボン等を聖俗の空間に施します。日本では「動く装飾美術館」といわれる京都の祇園祭の山鉾は織物・金工で飾られ夏の疫病を祓ってきました。そして誰にでもいつか来る生の最期には故人の祭壇に花を捧げ、あの世での永遠の生を祈ります。「誕生の装飾」「浄めの装飾」「哀悼の装飾」は特に大切な装飾表現です。

「装飾」とは表面的な飾りであるどころか、「誕生・成長・成熟」「老・病・死」という人生のどのモーメントにも表されてきた荘厳なアート＆デザインであったのです。

ではいかに「装飾」という芸術は発生したのでしょうか。

序章で記した通り、人類は常に「生身（なまみ）」で大自然に晒（さら）されて生きてきました。装飾という芸術の発生は、有限の生を授かった存在であることへの直観的覚醒に関係しています。古代エジプトでは、「死者のよみがえり」を願って棺には「黄金（ゴールド）」という最高の装飾が施されました（図2-2）。黄金は物質として高価だからではなく、あらゆる自然物の中で最も「腐蝕しない生命」であることを人類は早期から熟知していたからです。「死＝闇」に屈しない「生＝光」、「永遠の生命」の象徴として「飾った」のでした。一輪の花から、壮麗な黄金の飾りまで。人類による装飾表現は、「悼み」のその先にある「再生への祈り」を表す荘厳（しょうごん）芸術として発生しました。

そうした人類史を貫く「荘厳」芸術としての「装飾」を、本章ではこれから以下の三つの時空を訪ねて論じていきます。まず、①装飾芸術の受難がもたらされながら【アール・デコ】が噴出した西洋「近代：モダニズム」の状況を人類学の学説的背景とともに検証します。それを踏まえて西洋から最も遠い時空へ遡行して、②根源的な「生命デザイン」が生み出された【シベリア】における先住の人々の装飾の知と信について論じます。そして最後には、③近代、最大の覇権国の絶頂期に生きながらも、非西洋の「他者」に保持された装飾芸術の普遍性を浮き彫りにしたデザイナー・思想家【モリス】を登場させます。

†「オーナメント」の起源――生成するコスモス

まず、平面のグラフィックでもテキスタイルでも、立体の建築やオブジェでも、装飾表現の核となる単位は「オーナメントornament」と呼ばれます。「オーナメント」とは「文様・意匠・装飾品」を意味し、クリスマス・ツリーを飾る「星」や「長靴」や「天使」も、ハンカチやネクタイの「ドット」や「三つ葉」もオーナメントです。一方、「デコレーション」はそれらが複数集合した装飾の全体のことを指します。

「オーナメント」はラテン語源ですが、さらにギリシャ語の「コスモス」に遡ります。夜空をみつめていたヒトは、一つ一つ現れた星が、星座として天空に美しい「調い・調べ」を形づくるのを目撃し、それを「コスモス」と呼び、人間や空間を優美に飾るものを指す言葉となったといいます。それは「動かない秩序」のことではなく、瞬き点滅する「生成のありさま」、音楽のような「調べ」を指していました。大自然の月・星・太陽、動植物、山・川・風・波など森羅万象の「象(かたどり)」がオーナメントなのです。

近代ヨーロッパでオーナメントについての最初の百科事典は、オーウェン・ジョーンズ(一八〇九―七四)の『装飾の文法(グラマー・オヴ・オーナメント)』[2](一八五六年)でした。イスラム美術のアラベスク文様に魅了されたジョーンズは、大英帝国がロンドンのクリスタル宮で開催した「第一回ロンドン万国博覧会」(一八五一年)の一堂に会した装飾を隈なく観察。同書は、デザイナー必携として今でも版を重ねています。

†「装飾は罪悪」論

さてしかし、話はここからです。文明の先頭をいくヨーロッパ近代人は、最長不倒であった「ホモ・オルナートゥス」の長い歩みを堰き止める事態を招いたのです。

速度と効率によって全てを数値化するモダンな社会では、「装飾」は迷信に満ちた妖しいもの、野蛮なものとして、「人類学的根拠に基づいて」忌避されました。チェコで生まれヨーロッパからアメリカに渡りシカゴの高層ビルや実用的デザインに大きな影響を受けたモダニストの建築家アドルフ・ロース(一八七〇-一九三三)は、「装飾は罪悪だ」と宣言(『装飾と罪悪』一九〇八年)。それは「単純性」「機能性」を標榜する新世紀デザインへの提言であり、「進化主義人類学」の影響を強く受けた批判でした。

アジア・アフリカ・オセアニア・南北アメリカの「原始」人は身体に刺青(いれずみ)をするが、モダニストは「装飾から自由になる」と主張したのです。ロースによる「装飾の死」の宣告は、人類学者ルイス・ヘンリー・モーガンの(序章前出『古代社会』一八七七年)の白人優生説に基づく発展史観を想起させます。

図2-3　左：ガウディ「カサ・ミラ」　右：クリムト「アデーレI」

しかし歴史は直線的に進むはずはなく、二〇世紀の欧米社会が「装飾否定」へと一変したわけではありませんでした。むしろ二〇世紀の幕開けには、東はウィーン、西はバルセロナまで、都市の資本家は財を投じて斬新で自由な「装飾美」への期待を寄せ、妖しく光る傑作が創造されていきます。絵画ではクリムト（一八六八-一九一八）の「接吻」（一九〇七-〇八年）や「アデーレ・ブロッホ＝バウアーI」（一九〇七年）、建築ではガウディ（一八六八-一九一八）のバルセロナの集合住宅や教会です（図2-3）。

「接吻」と「アデーレI」とガウディの「カサ・バトリョ」（一九〇四-〇六）や「カサ・ミラ」（一九〇五-〇七年）は、装飾を否定したロースの著作刊行と同年やその前後に発表されたものでした。異様な生物のような「コロニア・グエルの地下聖堂」や「グエル公園」は、第一次世界大戦が勃発した一九一四年に完成したもので、「ホモ・オルナートゥス」の営みは、まるでピラミッドの棺のオーナメントが息をひそめながら生き続けたように、「罪」の宣告期間にも途切れず続けられていたといえます。「装飾」は絵画や建築だけではなく、二〇世紀のアメリカではアトラクションとして生身の人間にも施され花開いていたという事実があります。曲芸師で、女性で初めてタトゥーイスト（刺青彫師）となったモード・スティーヴンス・ワグナー（一八七七－一九六一）は、この「全身装飾」の姿を、ロースの『装飾と罪悪』（一九〇八年）刊行の前年に撮影させていたのでした。ロースはアメリカは装飾を廃絶させた純粋なモダニズムの王国であると信じていましたが、そのようなことはなく、反転するドアの向こう側には、エンターテインメント（サーカスなど）の世界で「人類学的な」新たな復活を果たしていたのです（図2－4）。

図2-4　モード・スティーヴンス・ワグナー　1907年

ヨーロッパに戻れば、クリムトやガウディの表現は、それらに先駆けた一九世紀末の、主にドイツ、オーストリア系の学者による「装飾」の理論と、深層心理学の分野で画期的となった「無意識の発見」というパラダイムに照応していました。

ヨーロッパ美術史学のギリシャ・ローマの古典偏重に対し、ウィーン学派、アロイス・リーグル（一八五八-一九〇五）は、従来副次的に眺められてきた「文様」や「抽象」に、人間の精神的な「芸術意志」を認めました（序章前出『美術様式論』一八九三年、『末期ローマの美術工芸』[3]一九〇一年）。古代ローマ末期から中世への「移行期」は芸術の「廃頽期」ではなく、そこに現れた装飾の芸術には、時代精神と民族精神がもたらした独創性があるとして、ゴットフリート・ゼンパーによる唯物論を覆しました。「鑑賞者が関与しなければ芸術とはならない」とする、視覚受容や情動反応を心理学から考察する途も拓いたのでした。

この理論を継承したのが、ヴィルヘルム・ヴォリンガー（一八八一-一九六五）の『抽象と感情移入』（一九〇八年）であり、奇しくもロースの『装飾と罪悪』と同年の刊行でした。

ヴォリンガーは西洋人がルネサンス以来、「古典的ギリシャ・ローマの秩序美」を芸術の規範としてきたため、モザイクやアラベスク、組紐構造などの「抽象＝装飾」に満ちた古代エジプト、ビザンチン、北方ゴシック、東洋美術を正当に評価できなかったことを指摘しました。環境論と芸術意志を横断して、原初的な装飾芸術が、ヨーロッパの古層の北方のケルト、ゲルマンにもあったことを示し、実際それは一八四六年に発掘された、ローマに先立つハルシュタット遺跡のケルト考古学にも見出されていたものでした。「抽象=装飾」表現には伝統的絵画のようにタイトルがあるわけではなく、予め参照できる聖書や神話のようなテキストもない。それゆえに鑑賞者の想像力を純粋に沸き立たせる芸術として、後にゲシュタルト心理学者のルドルフ・アルンハイム（一九〇四-二〇〇七）も評価するものとなります。

西洋の造形芸術論のパラダイム・シフトといえる大きな転換をもたらしたリーグル、ヴォリンガーの抽象・装飾・文様研究は、二〇世紀の抽象芸術と知覚心理学・認知心理学とクロスし、世紀の幕開けを画しました。ロースが忌み嫌った「未開」の造形が、ピカソの「アヴィニョンの娘たち」（一九〇七年）の抽象画に現れたのも偶然ではありません。アフリカや古代イベリア美術の呪術的な仮面と、引き裂かれたような画面構成。片や理論、片や絵画の変革が、「一九〇七-一九〇八年」に集中して発表されました。クリムトとガウディの装飾と、ピカソのキュビズムの挑戦が軌を一にして起こっているのも意外ではなく、①ヴォリンガーの北方の「抽象」も、②クリムトとガウディの「装飾」も、③ピカソの仮面の「未開」も共に、ヨーロッパ思想の「人間という主体」を解体したのです。つまりこれらの表現に共通するのは、参照項のない、摑みどころのない「無意識」の領域でした。

その要素には、①ヨーロッパ考古学、②深層心理学、③原始美術の影響がはたらきまし

図2-5　サリーン『古ゲルマンの動物文様』1904年より

た。ウィーン生まれの現代の脳神経科学者エリック・カンデル（一九二九―）は、フロイトやシュニッツラーと同時期に、クリムトも無意識領域の探究へと乗り出したと、心理学と装飾的芸術との関係を指摘しています。[4] クリムトやガウディの鱗モザイク状の不定形の「装飾」は、フロイトの『夢判断』（一九〇〇年）が示した意識下のシステムを炙り出しました。と共にそこには、近代人類学が見出した原始芸術の「構造」の発見が照り映え、さらにヨーロッパの古層を発見する「考古学」の展開も関わっていました。

ヴォリンガーの『抽象と感情移入』における「北方」と地中海の「古典」美術との対比は、ゲルマン民族大移動期の（古代ローマを消滅させるほどの荒ぶる戦士たちが腰に巻いていたベルト・バックルの動物文様など）装飾芸術の考古学的発掘によって可能となったのでした。北欧の考古学者ベルンハルト・サリーン（一八六一―一九三一）はそれを「アニマル・スタイル」と命名し、北方ユーラシアからヨーロッパへの流れを示唆し、地中海の「南」

偏重の史観を破り、「北」へ開き、さらに私たちの「東」へと繋げる途を発見する時代を迎えたのです（図2-5）。

クリムトの「アデーレI」の両脇にある渦巻文様も、クリムトの国オーストリアのハルシュタット遺跡出土の金工装飾に酷似し、今日ウィーンの自然史博物館に展示されている先史の紀元前二〇〇〇年紀の青銅器時代から前八〇〇年代に遡る鉄器時代のケルト文明に繋がっています。先史考古学も北方の見えなかった古層を探り始めるのと並行して装飾の美が二〇世紀の最初のディケイドに噴出したのです。

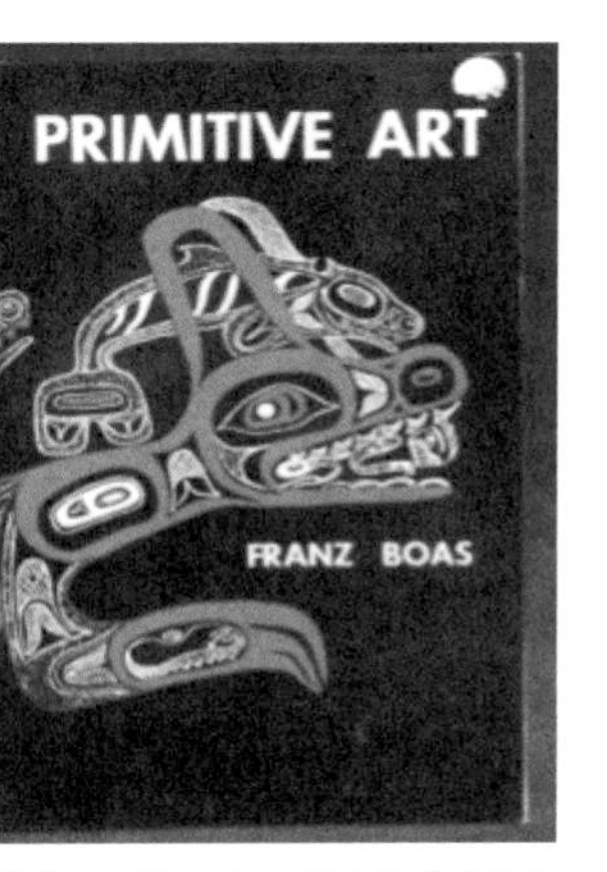

図2-6　フランツ・ボアズ『プリミティヴ・アート』表紙　1927年

一方、ヨーロッパから遠く離れた、北米の北西太平洋沿岸でも、新しい「民族」芸術の探査が始まっていました。人類学者フランツ・ボアズ（一八五八－一九四二）は、一八八五年から北米ブリティッシュ・コロンビアで収集した先住民の工芸＝装飾芸術のコアである文様・図像に、共同体と作り手の意識下にある表現の仕組みをみとめ、『未開人の心性』[5]（一九一一年）や代表作

『プリミティヴ・アート』（一九二七年）を世に示します。「芸術的な価値が歌と装飾芸術に見られる」として、文様をダンスや歌のリズムとも並行させて浮き彫りにしました。こうして「装飾」と「無意識」を発見した心理学、美術史、考古学が共に、西洋中心の「人間の芸術」の檻を破って、本来の「人類の芸術」の野を拓いたのです（図2－6）。

2 「アール・デコ」と「プリミティヴ・アート」

†「分節されない」世界

ではこの時代に人間の内なる無意識のシステムを開示した、絵画と装飾、建築と装飾、抽象と装飾に共通する造形的特徴とは、何でしょうか。それは「分節されない世界」を創り出していることです。

そもそも線や面、様式化された動植物等を抽象・文様化した「装飾」は、近代人にとっては、副次的な「加飾」、つまり余白を埋めるものに過ぎない飾りだと思われてきました。しかし装飾の真骨頂は、生物のようにひとつの途切れない有機体として発現することにあります。ボアズの原始芸術や、レヴィ＝ストロースの神話の「構造」、（筆者の言葉でいええます。

ば）「綾成し」です。相互に関係しあい、全体に増殖していくものが「装飾」の本質とい

　前出のボアズは北西太平洋沿岸を中心に極北のアラスカからシベリアにわたる大規模な広域調査で儀礼に用いられる仮面を調査しました。その仮面は動物の精霊が複合的に折り重なり、意味を生成させていくものです（序章・図0-4参照）。この「重ねの構造」は、神話を語るように重層していきます。つまりこうした「装飾」的芸術は、重ねや綾成しによって、「常なる可変体」を創り出しているのではないでしょうか。その意味では「始まりも終わりもないかたち」です。

　いずれにせよ、「装飾」は工芸・建築・服飾など人間の衣食住、生活のケとハレで発揮される美であり、人類が目撃してきた「生きとし生けるもの」、天の経めぐり、地の変動など、大自然の生命活動が象られます。

　ボアズを図像解釈の先駆者としたレヴィ＝ストロースは、造形同様に神話にも、自然現象を目の前にした人類が、「制限されない象徴的思考」によって「論理の多殖性」がもたらされることに気づきました。（多殖性 polyvalente はラテン語の「精力的な生殖」「力強い生殖」が語源です）。先住の人々の仮面やトーテムポールの精霊の貌や部位が次々に連結され、親から子が産まれるように現れ出てくる。この「多殖性」の根源には、人類が大自然の荒

ぶる神々に面と向かわねばならなかった経験と、その神々・精霊・天地との関係を豊かに切り結ぶ願いがあったと考えられます。西洋では産業革命以降、科学主義は、不気味な自然のうごめきを抑止し、「論理の多殖性」を人工的に創りこそすれ、その「なまのもの」には触れないできたのです。

装飾も神話もこのように自然を目の前にした人々であればこそ、「分節しない造形」で「分節できない無意識」を表出していったといえます。比較神話学者マクス・ミュラー（一八二三 - 一九〇〇）は「分割して統治せよ」という古代ローマ以来の西洋の慣用句を引き、それが理想的な学術の方法論でもあると明言したことは印象的です。列強国は、一九世紀後半から二〇世紀前半にアジア・アフリカ・オセアニア・南北アメリカでの「植民地経営」に邁進し、西洋人／白人の敷く格子（グリッド）を地球規模で広げ、被支配地域の土地と人々の生きられた時空に新たな対立を生ませるための分断をしました。列強による「アフリカの線引き」はそれを最も象徴しています。

そのなかでいち早く「世界を分割して統治する」ヨーロッパの人間中心の視覚芸術に大いなる批判をおこなったのが、オセアニアのタヒチに赴く後期印象派のポール・ゴーガンの、クロワゾンネ（装飾的七宝細工）と呼ばれた色面表現でした。こうして世紀末から二〇世紀の最初の一〇年間、リーグル、ゴーガン、フロイト、ロース、ヴォリンガー、クリムト、ガウディ、ピカソたちの探究と作品は、「分節される世界」に抵抗するヨーロッパ人自身の無意識への目覚めを立ち上がらせたのです。

†アール・デコの発現

それは二〇世紀半ばのモダニズム社会に新しい「アール・デコ」の装飾様式として噴出しました。

一九二五年のパリ万博「現代産業装飾芸術国際博覧会」は「産業と装飾」をタイトルとして銘打ち、合理主義の「機能」と、原始の「装飾」を公に接続したのです。

近代社会の機能的生活の標語――「レス・イズ・モア／装飾が少ないほどより機能的である」（ミース・ファンデル・ローエ）と並行して、人々は「アール・デコ＝装飾芸術」を、新たな現在形のデザインとして創出しました。モダニストが理想とする「コスモス／秩序」のデザインに対して、その枠組みに寄生しつつ、未分化な「カオスモス／混沌」（後の現代思想家フェリックス・ガタリの用語）の装飾美を表明したのです。

一八八九年のパリ万博時に建設された最先端の鉄構造建築であるエッフェル塔を再び活用し、主催者はその「全身」に、アフリカ美術からインスパイアされた「躍動する野生・動植物」のオーナメントを浮かび上がらせ、装飾の否定どころか、「人類の始まり」とい

図 2-7　1889年と1925年のパリ博ポスター

われるアフリカ大陸の「ホモ・オルナートゥス：飾るヒト」の歴史を迫力と楽しさで見せつけたのです。「一八八九年のパリ万博」と「一九二五年のパリ万博」のポスターを比較すると、飛躍的に機械化が進んだはずの一九二五年の方が、原始的に躍動するデコラティヴな画面です（図2－7）。「一九二五年のパリ万博」は、白いモダンな建築（コルビュジエの新精神（エスプリ・ヌーヴォー））の隣で、「装飾」が西洋の夢と無意識を確かめるかのように溢れ出し、「根源的な人類のオーナメンタリズム」を噴出させたのです（図2－8）。

いいかえれば、「一九二五年」の「装飾への夢と欲望」は、境界線や幾何学によるモダニズムの「分節」構築とは逆に、「分節されない世界」をヨーロッパ自らが召喚した事件でした。同時期に起こった、シュルレアリストやダダイストのオートマティスムの技法も、装飾的なカオスモスに限りなく近づいていました。奇しくもアンドレ・マッソンが示したなぐり描きのような造形は、人間の心や世界は、決して分割も分節もできないことを、自動記述の挑戦的方法で表したものでした。二〇世紀後半に訪れる西洋の自己打開を予見する、こうしたうごめきは、いっそう「装飾文様＝オーナメント」の思考に重なって来ます。

図2-8　1925年パリ万博「ギャルリー・ラファイエット」百貨店パヴィリオン

さて、ここで私たちは「分節されない世界」を表象する芸術としての「装飾」を、「ホモ・オルナートゥス」の古層に遡行して観察する地点に降り立ちます。それは筆者のフィールドワークの始まりの地、ヨーロッパから最も遠く、私たちの日本列島に隣接する、シベリアです。

3　シベリア「生死の皮」のインターフェース

†ナナイ族、アムール沿岸の民族

日本列島は、一九世紀の列強諸国の世界地図で眺めれば、

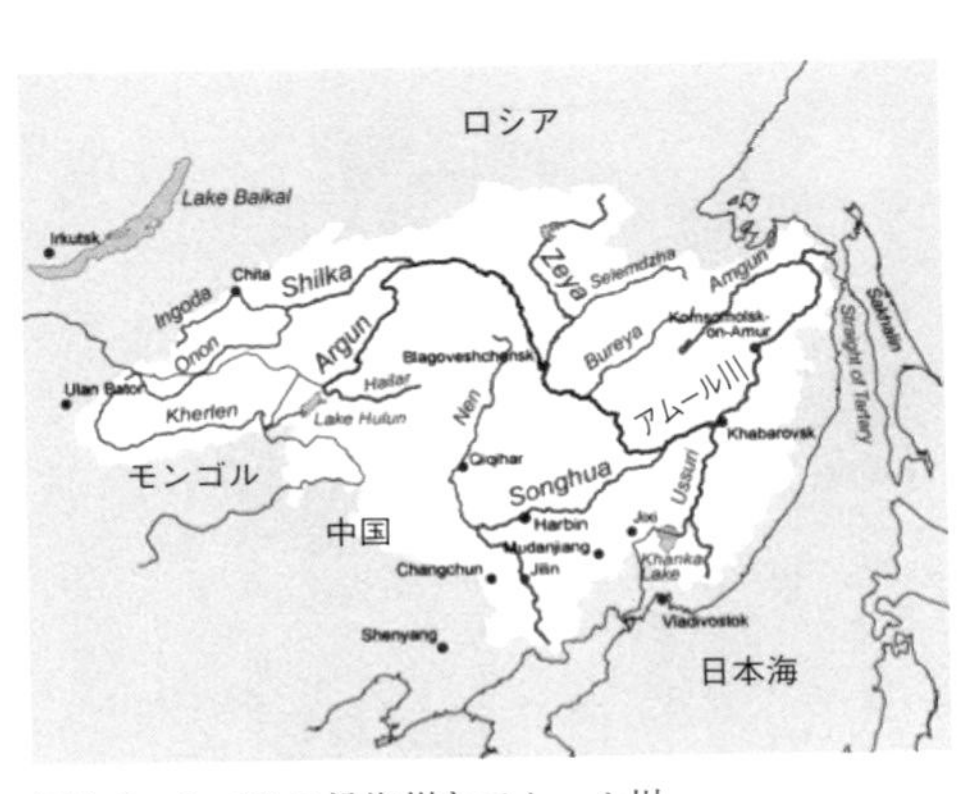

図2-9　シベリア沿海州とアムール川

「ファー・イースト」に浮かぶ島ですが、太古の縄文時代から「装飾芸術」を生み出してきたホットスポットでした。二三〇〇万年前‐五三〇〇万年前にユーラシア大陸と分離しましたが、日本列島は、私の造語でいえば「ユーロ＝アジア文明」との連続性の中に生きて来た島であり、それは神話学・宗教学（アニミズムやシャーマニズムの基層）などから証明されつつあります。

そもそも私の最初のフィールドワークが「シベリア」であったのは、日本列島とユーロ＝アジア文明の連続性を民族の芸術から他我を見定め観察しようと考えたからです。一九七〇年代の初め横浜から船でユーラシア大陸に初めて「上陸」し、ソヴィエト連邦を越えてヨーロッパ、北アフリカまで辿った旅を皮切りに、研究者となってからは、ハバロフスクから北へ、アムール川に沿って下流一〇〇キロ、河岸部にあるサカチ・アリャンの地を訪ね、「ナナイ族」の集落で伝統工芸の装飾を調査しました（図2‐9）。

ロシア人が中央アムール盆地、大河アムール川（黒龍江）とスンガリー川（松花江）とウスリー川（烏蘇里江）の沿岸地域に入る以前、先住であったナナイ族は、私たちと同じモンゴロイドで、祖先は満洲＝マンチュリアのジュルチン族といわれ、わが国でも人類学者鳥居龍蔵（一八七〇－一九五三）が交流し、ロシア人探検家ウラジミール・アルセーニエフ（一八七二－一九三〇）が極東調査で人類学的に光を当てた民族です。黒澤明監督の『デルス・ウザーラ』（一九七五年）の主人公の猟師は、アルセーニエフに協力した実在するナナイでした（図2－10）。

図2-10　ナナイ族の人々　フォーシス『シベリア先住民の歴史』1992年より

ナナイ族の言語はアルタイ諸語のツングース語族（南部ツングース語群）で、同じシベリアの人々であっても北方のヤクート族やエヴェンキ族、バイカル湖周辺のブリヤート族とは歴史的環境が異なり、アムール川を挟み、中国とロシア側の両方に居住する「境界」の人々です。二〇〇二年の統計では、ロシア領下に一万二一六〇人、中国国内（赫哲族＝ホジェン族）には約四六四〇人おり、中国の五五の少数民族の一つとして認定されています。

図2-11　ナナイ族の白樺樹皮容器

一方、ソヴィエト連邦時代、標準ナナイ語がつくられ、ハバロフスクの学校で今日も教えられています。

北国の短い夏。アムール川と沿海州の民族的資料を豊富に展示するハバロフスクの国立極東博物館と村の資料館を訪ねた私は、シベリア土着の「動物・植物・鉱物」の自然物の素材から造られた「生命デザイン」の輝きに圧倒されました（ナナイ族ほかシベリア少数民族の女性たちの作品には、ウルチ族では「毛皮の手袋（ミトン）」、エヴェンキ族では「毛皮とビーズの煙草入れポーチ」、エヴェン族は「ヘラジカ獣皮のポーチ」、オロチ族は「アンティという履物」、ネギダール族は「ヘラジカ獣皮の財布」、ウデヘイ族は「白樺樹皮の筒型容器」が挙げられています）。

そこで私は前節までに述べたヨーロッパのクリムトやガウディ、そして第三節に述べる一九世紀後半最大の装飾家ウィリアム・モリスの表現とも共通する、「世界を表象する皮膚としての装飾」というべきものに出会いました。「樹皮」と「魚皮」の芸術です。

ナナイ族の代表的工芸、ドラム型の白樺の「樹皮」容器には、文様がナイフで切りこまれています。容器の胴を一巡する黒い顔料で強調される「成長する渦巻」がこの器の命です（図2－11）。

樹皮を剝がして装飾をつくるナナイ族の手仕事は、「渦巻文様」を天然素材の肌から直に「生まれさせる」ものです。長い歴史のなかで、樹皮そのものから文様を「咲かせ＝生まれさせ」ようとしてきた共同体の手の心性が透かし見えるのです。

†アムール川の「魚皮衣」

そしてここに、もうひとつの「皮」の芸術、ナナイ族やニヴフ族の「魚皮衣」があります。

アムール川の人々は狩猟・漁撈の生業において生き物の「皮」を恵として頂き、繊細な技で剝ぎとり、伝統の文様で装飾してきました。その営みは絹布に刺繡で加飾する中国、満洲の服飾とは異なるものです。フィールドワークで、ナナイの村に入る前、岩画群の傍で、魚獲りの男性二人に出会いました。サケ・マス漁、キャビア採りのチョウザメ漁もおこない、「魚皮」から衣をつくってきたので中国ではナナイの人々を魚皮韃子（ユイピーダーズ）・魚皮套子（ユイピータオズ）とも、また魚の皮でつくられた服を着て犬を連れていたため「漁皮部」「使犬部」とも呼ばれてきたのです。同様にアムール川沿岸と対岸のサハリン（樺太）にも生きてきた先住のニヴフの人々も見事な魚皮衣のつくり手で、私はニヴフの人々にも最近の調査で同じ魚皮衣の話を聞くことができました。

ナナイ族の典型的な魚皮衣の文様・オーナメントは、既述した白樺の樹皮の文様と響きあうたおやかな螺旋です。渦の頂点に「宝珠」のような形が付いているのはモンゴルや満洲の仏教的シンボルの影響かも知れません（図2-12）。

「魚皮衣」文化圏では、魚種として主に「コイ」「ナマズ」「サケ」が用いられます。漢字も併記すれば鰉魚―コウギョ（チョウザメ）、花鯰―ナマズ、鯉魚―コイ、白魚―カワヒラ

図2-12　ナナイ族のサケの魚皮衣　ハバロフスク 国立極東博物館蔵

（コイ科）、鮎魚―ナマズの一種、草根魚―ソウギョ（コイ科）、鰱魚―レンギョ（コイ科）、哲羅魚―サケの一種、懐頭魚―ナマズの一種、狗魚―エソ（ナマズの一種）等多様です。なかでも「大麻哈魚（サケ）」の皮は衣をつくるのに最も広く用いられました。鮭皮は厚く弾力に富み丈夫で、色は五彩に輝きます。ニヴフ族の例では女性はコート用に一〇〇匹のサケの皮を用意し、塩水で皮膚を洗う前に肉をかき取り、皮を乾燥させ、叩き、魚皮や筋からつくった糸で縫い合わせます。装飾された魚皮衣は晴れ着です。狩猟とともに漁撈で魚と生きてきた人々の最高の服飾です。

　数千年以上の歴史のある魚皮衣を、西洋人が収集するようになり、一九世紀以降ウラジオストクの商人たちはアムール川流域の魚皮のコートを集めました。オランダ・ライデンの国立民族学博物館やロンドンのヴィクトリア&アルバート博物館等にもニヴフ族の「サーモン・スキン・コート」が収蔵されています。

　シベリアの魚皮からは白やベージュの仄（ほの）かなてかりが発光し、魚が纏うきらきらしい「光の衣」を、人間の子供が纏い寿（ことほ）がれます。西洋人は、光を放つこれらの魚皮衣を、静かに人の身を包む「サイレント・コート」と呼びました。細心の注意を払って衣を仕立てる、村の女性たちは、皮を剝がされた動物の霊が和らぐことを祈ったと、西洋の人々も想像できる生命感に溢れる衣なのです。

†インターフェースの皮

魚の「皮膚」である「魚皮衣」の表面は、「樹皮」もそうですが、人間と自然を隔てるのではなく、「繫ぐ皮」であると考えられないでしょうか。特に人間自身が、からだに纏う「魚皮」は、シベリアにおいて「人間界」と「自然界」の「交流・交換の接触面」であることは確かです。フランスの民俗学者E・ロット=ファルク（一九一八－七四）は『シベリアの狩猟儀礼』（一九五三年）で、シベリアの少数民族の狩猟文化における「人と動物の未分化」の観念を紹介しました。人間と動物は（外皮は異なれども）中身は同じで、動物は喜んで自分の皮を脱いで、人の姿にもなる。虎は、からだをゆさぶって皮を脱ぎ、それを棒にひっかける。その逆もあり、人間の魂は、好みしだいで熊や虎や黒テンの皮を自在に着る。人間の姿をとっても、動物たちはそれぞれの性格を維持している、といいます。自然界と人間界が、一枚の「皮」を介して浸透率を高め、交流・交感・交換が可能となるのです。人間は動物の皮を纏うとき、動物界＝自然界に参入できる。生命のインターフェース／境界面としての「皮」への崇拝が神話に語られていると解釈することもできます。

ヨーロッパでは、フランスの精神分析学者ディディエ・アンジューの理論（『皮膚－自我』一九八五年）のように、皮膚は「（人間の）自我」として読み解かれます。が、シベリアやイヌイットの神話的思考は、その皮・皮膚は肉を包んで固定されている（縫い付けられている）のではなく、「纏うこと」と「脱ぐこと」が自在です。皮膚は私のもの、、、、であるという近代人の一義的な信念に対して、「交換・反転」の感動を語り、自我を表／面に開いて、大自然との生命的交流を前進させていくという観念を示しているといえないでしょうか。

図2-13　シベリアの熊の民画

再びE・ロット＝ファルクに従えば、その証拠にシベリアの神話では、人間（界）と動物（界）の「入れ替わり＝交換」が語られています。北方のニヴフでは、「山の人」の領域に足を踏み入れると、熊や虎たちが人間の姿をしていて、人間と同じような生活をしている動物を見ることがあるといいます（図2‐13）。

動物の領土では、動物が人間になり、人間が彼らの獲物になる。この獲物、人間を食う者（動物たち）は、（人間がおこなう）熊祭りをそっくり真似た儀式をやる。動物は喜んで自分の皮を脱いで人間の姿にもなる。狩猟は野生に「死」をもたらす、ゆえに人々は、他我のどちらにも対称的にもたらされる生／死への畏れ敬いを、人間と動物の「反転」という臨界において観念し、それが「皮」に表象されているといえないでしょうか。人間と動物の入れ替わり神話は、人間と動物は生死のあいだに存在するもの同士として——運命によって食うか食われるかのあいだに存在する——「生きもの同士」として交流し、その交点が「皮」なのだと伝えているのです。

これは近代ヨーロッパ人にとっては、文明の遅れによる「原始的未分化」の観念であって、「存在の二重性」の現れと映ります。が、そこにこそ近代人には想像できない、大自然の脅威を知る先住の人々の思考がありました。それは生きとし生けるものたちを包み込む自然はまさに未分化なのであり、反転と循環のドラマをみせる驚異であることを熟知していることから生まれた知でした。シベリアの人々にとって自然・野生への心的距離は篤い近さが際立ち、魚皮衣の芸術に発光しています。我と他の交流面としての「皮」は、アンジューのいう生／死の境界である。とともに、シベリアの調査地で実感したことを私なりに言葉にすれば、魚皮衣は「死を予め孕んで生まれてくる生」の定めを表象し、その臨界で発光している「皮＝衣＝被覆＝皮覆」であるのです。

4　反転と生命循環

†未分化の観念

一六世紀、ウラル山脈の彼方からロシア人がシベリアに入り、先住の人々を使役して毛皮のために動物を狩る時代になると、大量の獣皮がロシアに送られ、西洋文明によって狩られた熊や鹿や魚という野生の「死の皮」は、皇帝や貴族の権威と富のドレスとなりました。シベリアの毛皮の流通は、西洋的な「人間の世界」の近代経済システムの発展と軌を一にし、毛皮市場において高値で取引されました。シベリアの「毛皮はロシア国家にとって莫大な富の財源」であり、一九世紀には「ゴールドラッシュ」に喩えられるほどの「毛皮フィーバー」が起こり、既に「一五八五年から一六八〇年までの間、シベリアで捕れたクロテンおよび値の張る毛皮の総数は、毎年一万に達し、多い時には一〇万を超えた」のでした（ジェームス・フォーシス『シベリア先住民の歴史』[6]一九九二年）。ロシア人の「人間の世界」は、シベリアの「動物の皮」を引き剝がし、「自然の世界」を分断して、投機によって生命を殺して財を産む経済システムを謳歌したのでした。

しかし西欧人の富に変換させられた皮衣が物質的価値ではなく、ほかになき生命の「尊厳の表象」であることを、先住の人々は語り続けました。生命維持の「皮」を脱がされ殺傷される「死の皮剝ぎ」は、「誕生の皮脱ぎ」との両義を厳粛にも表象し、驚異の反転的価値をもっていることを、です。

「死」と「生」を究極として起こるこうした「反転」作用は、しかし先住の人々の観念であるばかりでなく、人間が自己形成の「黎明期」に、「分化し個体化するエディプス期に先立って、未分化で反転可能な幻想を経験する」ことを『皮膚―自我』の著者アンジューは指摘しました。「母の腹のなかの子供そして子供の腹のなかの母の幻想」のように、「包みつつ包みこまれ、器でありつつ内容物であるという独自のトポロジーをそなえたもの」で、「包みながら呑みこまれる」相互的な反転は、私たちが忘れているだけで、現実の社会に生きているのだと（『皮膚―自我』渡辺公三の解説による）。

その意味で先住の人々の生に現前している「反転する皮」と「未分化の交流」の観念は、人類の根源的な記憶であると同時に、太古であれ現代であれ、誰にでもありました。しかし西洋近代はそれを恐れ、忘却しようとしました。それは本章（第一節）で述べたように、アドルフ・ロースが、モダニズムの始まりに宣言した、あの（呪術的な、迷信的な）「装飾」への忌避に、はっきりと現れています。

自然を完全に征服しようとする西欧近代の身体に纏われるために商品となった（毛）皮は、「分割して統治されるべき世界」から奪うことができた戦利品（トロフィー）のメタファーにすぎません。が、ナナイやニヴフの人々のアムール川の皮衣は、自然界と人間界が連続する「分節されない世界」を表し、表面の装飾はその交流を促し活動させる生命的なものの増幅として表されたのでした。シベリアの「渦巻文様」は、この魚皮衣にも白樺の容器にも木造の墓廟（オクラードニコフ『シベリアの古代文化』一九七三年）にも表され、その動的運動を表象して来たのです。

「皮」が単なる防御の外皮ではなく、「霊魂を包む皮」であることは、このような伝統の装飾によって逆に暗示されます。つまり装飾とは、序章で述べておいたように、芸術が「未生の現在」に胎動し、来るべきものを生む（そして来るべきものとして生まれる）ように、本体から引き剝がされた死の皮に、渦巻の装飾を施すことによって生き還らせ、元の動物の生命時間以上の時間を付与することができる。「自然と人間」、「野生と文明」、「彼岸と此岸」という相互を分離する面ではなく、皮膚が、装飾によっていっそう輝くものとして生まれ変わるのです。

†極限の抽象「文様」

北西太平洋岸先住民の文様・図像と神話・習俗を調査したアメリカ人類学の父ボアズ(序章参照)も、「アムールの諸部族」の衣装を調査していました。「人々が常用している皮製の衣服、とくに祝祭の時に着られる衣服はアップリケや彩画で美しく装飾されている[7]」と記し、施されるオーナメントのリズミカルな「連続性」に注目しました。ボアズは分節されない「生命循環」の形象をその装飾文様に目撃したのでした。

ではこの「装飾」の細胞・核となっている「文様」とは何なのでしょうか。

それはシベリアでは木造の廟やシャーマンの衣装に端的に現れているように、①呪的な力をもち、②人類を懐(いだ)く大自然を最高度に縮減して表した「極限の形象」です。大自然から人間が認知するものは生命であり変化・変動であり死ですが、「文様」はそれを循環させる護符のような力をもつ形象(抽象)であり、大自然という「マクロコスモス」と対応する装飾という「ミクロコスモス」です。ナナイやニヴフの人々は西洋美術のような具象を描けないのではなく、高度な抽象化によって、天象も動植鉱物も、極限の形象(文様)で再創造できる人々なのです。

実際ナナイやニヴフの人々の「サーモン・スキン・コート」には渦巻のオーナメントが

施され、そうした「文様」の力によっていっそう光を帯びる晴れ着となってきました。ヴィクトリア&アルバート博物館蔵の魚皮衣には、黒と赤で押捺（おうなつ）ないし描かれた「渦巻」文様が並んでおり、これは「白樺樹皮」工芸の渦巻と同類です。前述もしたとおり二つの渦巻の頂点が「宝珠」のような文様になっているのは、広くはモンゴルや中国の仏教美術からの影響の痕跡とみえますが、主役はあくまでシベリアの生命循環を表してきた「渦巻」文様であることが分かります。ここに本章で辿ってきた、人類史における「装飾／芸術」の発生のひとつの根源が浮かび上がります。

野生から人間の手に懐かれた魚皮や獣皮の「平面・表層・皮膚」は、動植物の生命がオーナメントとなって表面を飾り、そこにいっそう活発な「インターフェース＝交流面」を生んでいく。「白樺樹皮」も「魚皮衣」も、元は一つの個体に属していた皮ですが、それが美的な交流面となって生きなおす。「魂を包む」生きとし生けるものの「皮」は、「分節されない世界」を伝えてきたといえるでしょう。

畢竟、「自然」が人類に問うてきたのは、あなたたちは存在（動植物）の生命を護り包む一枚の「皮」を剝ぎ取り征服し「死んだ皮」として敷くヒトなのか、それとも共生する「生きた皮」として畏敬し纏うヒトなのかという問いです。生死の運命がとてつもなく計り難かった太古において、生きとし生けるものの一員、人類は、「生命にたいする慈しみ」

をよく表現する者でありました。「ヒト」と「野生」を隔てる被膜が、相互を繫ぐものでもあるという根源的な認識から、およそ人類の創造行為は出発したのではないでしょうか。

二〇世紀に起こった装飾の「否定」と「復権」という出来事も、文明の潮流における「分節と非分節」の思考の境界に現れたものでした。「装飾」という芸術が表す「生命」「交流」「循環」「再生」。今ここで私たちはこれらの重要なキーワードの連鎖を授かりました。

そこで私たちは、最後にもう一度シベリアからヨーロッパ近代へと戻り、「装飾」が有罪とされる前の一八七〇年代、「小芸術」と呼ばれてきた「装飾芸術」を「近代デザイン」にまで高めた、デザイナーにして思想家を呼び出さねばなりません。

5 モリスと「装飾」の古層

†壁紙と自然

近代西洋の「デザインの父」といわれるウィリアム・モリス（一八三四－九六）は、大英帝国ヴィクトリア朝のデザイナー・詩人・思想家として活躍し、一九世紀後半、資本家によって分節・分断された社会に、職人のつくる喜び、人間の幸福、生活の美をもたらそうとした社会主義者でした。

「小芸術／レッサー・アート」とみなされてきた「手工芸」を、職人たちの「ものづくり」の精神と誇りの核にあるものとして、中世以来の恢復への運動を起こし、生命感に満ちた「装飾」作品を世に送り出しました。一八七七年一二月四日、ロンドンのオクスフォード・ストリート協同組合会館での「装飾芸術」と銘打つ講演で、「装飾」は法王の館の威信のためではなく、市民の「生活」に潤いを与えるデザインであると述べました。商会や印刷所を開設し、機械の奴隷にならない手仕事で、テキスタイル・壁紙・ステンドグラス・家具・書物などを手掛け、「自然」の文様で満たした作品を登場させます。「自然に逆らわず、古いものを研究し、自分独自の芸術を創れ」[8]と諭しました。自然に従うとは、それがいかにして理想の「装飾」となるかということでした。

　装飾がそれ自体を超えて、視覚的表象を想起させないなら、いかなる装飾も無益であり、「装飾・文様」は「成長感覚」をもたらすものでなくてはならないと主張しました。モリスにとって装飾・文様は、成長していくだけではなく、課せられたフレームの限界において、成長の可能性を「暗示するもの」でなければならないのでした。それを実現したのが一八六〇年代初頭からモリス・マーシャル・フォークナー商会を皮切りに手掛けられ大人

図2-14　モリス「ハニーサックル」壁紙　1883年

気を博す「壁紙」のシリーズです。

なぜ「壁紙」だったのか。北ヨーロッパの環境にあって西洋建築はレンガや石の壁を室内に露出させ、冬はその冷たさに耐え、かつて王宮では巨大なタペストリーで凌いできたわけですが、モリスはブルジョワジー主役の市民時代の要望を直感し、日常空間を潤す壁紙をファブリックとともに提供し、市民の「室内」を変貌させました。

オリジナルの壁紙の制作と販売は、一八六二年から六四年頃に始められ、死去の一八九六年まで続きます。一八六二年に「格子垣」「ひなぎく」、一八七五年に「マリゴールド」、一八七九年「ひまわり」等、繁茂し風にそよぐ生命感に溢れる文様の芸術を創造し、一八七二年から七六年には織物や捺染（なっせん）の文様も盛んに用いました。植物文様がどこまでも蔓延していくデザイン。生まれ育った楡（にれ）のそよぐウォルサムストウの樹木の記憶と評される代表作「アカンサス（葉アザミ）」「ハニーサックル（すいかずら）」「ヤナギの枝」、そして名作「いちご泥棒」。有名なタイポグラフィ、活字にもアカンサスの葉やブドウの蔓草が繁茂しています（図2－14）。

†モリスの源泉

しかし本題はここからです。

モリスは「装飾が自然と同盟を結ぶ」重要な役割をもつ（「小芸術」の講演、一八七七年）と主張しましたが、それは単に植物や小動物をモティーフにするという意味ではなく、彼が思い描く「時間」と「空間」には常に「装飾」が関わってくるということなのです。彼が「装飾」芸術の霊感源としたのは、忘れ去られている「遠い時間」と「遠い場所」にあるものだったことが思想的に辿れます。モリスの手工芸が呼び戻そうとした「自然」は、まずキリスト教「中世」の工人が仰いだ、唯一神の叡知と恩寵による「自然の摂理」であり、それに従う喜びにありました。しかし同時に唯一神が創造した秩序・コスモスだけではなく、知られざる、カオスモスへと導く意匠に出会ったモリスがいました。彼の装飾論には、非ヨーロッパの「諸文明」や「諸地域」へと誘う具体的な言葉が出てきます。

「いかに簡素であろうとも、葡萄樹の蔓が密に茂って、まるで太陽がナイルの河岸の木陰につくる涼しさか、未踏の森のせせらぎか……または夏のピカルディで一面に花が咲いている野原などを思い出させる」装飾を創らねばならない。[9]表面の形の配置ではなく、なにか「表象」の働きをもち、見る人、使う人を、どこか「別の場所」へ「誘うもの」でなくてはならない、というのです。

彼の壁紙の「文様＝オーナメント」は、単に自然の描写なのではなく、いまここではない時空に連れ出すものでなくてはならないといいます。彼のトレードマークである「植物文様」は、幼少期から親しんだイングランドの身近な自然や、神の創造物としての自然だけではなく、遠い場所に秘められた「源泉」をもっていたことは、壁紙シリーズの構図と構造から充分に推量できるものです。アカンサスは古代ギリシャを思わせ、ヤナギは一八世紀のロココ時代に西洋に入ってきた中国の庭園術を想起させます。現実的にはイギリスという「植民地帝国」が直接支配することになる「インド（インディア）」と「中国（カタイ）」は、否応なく「遠くの近くに」あった美的異境でありました。

†オリエンタリズムを超えて——インドと中国

事実、覇権国ヴィクトリア朝イギリスは、一八五一年に世界初の万博を開き、首都ロンドンに集まってくるアジアの諸工芸のなかでも——オーエン・ジョーンズ（一八〇九－七四）が心酔したイスラムのアラベスク文様とともに——一八五八年から（一九四七年まで）

「イギリス領インド帝国」となったインドからもたらされたデザインが豊富にありました。綿花の産出国であり、綿織物をイギリスが世界に売りさばいていくなか、伝統の木版でプリントする「チンツ（更紗）」のテキスタイルが、イギリスのブルジョワジーに愛好されました。分厚い木のブロックを使いインディゴなどで捺染されるこの染織品は、南国の風に揺れて繁茂する植物文様が主役です。

もうひとつ、一九世紀フランスとともにイギリスで愛好されるようになったインド北部のカシミール地方名から名づけられたカシミヤ・ショールの文様「ブータ」（イギリスでは「ペイズリー」）が、ヒットしていました。モリスは「ペイズリー」文様を自作の布や壁紙に取り入れ、その名「インディア」という壁紙は有名です。むせ返る南アジアのナツメヤシのような植物が、ペイズリー風にくねるフォルム。北方の国民、イギリス人を圧倒的な「エキゾティシズム」で魅了しました（図2-15）。

モリスの霊感源はインドばかりではありません。イギリスとフランスが中国に侵攻した「アヘン戦争」（一八四〇年勃発）による戦利品は、今日ロンドンのヴィクトリア＆アルバート博物館にひかえめに展示されています。が、中国陶磁器の、特に「琺瑯（ほうろう）」の文様は、モリスの「幾重にも重なる鬱蒼とした植物」の霊感源を思わせてなりません。モリスの壁紙装飾の「構造」は、手前・中・背景と三つの次元つまり「3D」で文様の層を重ねてい

図 2-15　モリス「インディア」壁紙　1868 年

るのが最大の特徴でありますが、花や蔓草が絡み合い、西洋の視覚の秩序の外部にある横溢を思わせます。無味乾燥なパターン反復を一切感じさせず、自然の「カオスモス」を発現し、見る者を幻惑させます。絵画的な遠近（法）はなく、人間という主人公もいません。徹底した「平面」に、本章のパリ万博の「アール・デコ」（第二節）とシベリアの「魚皮衣」（第三節）で考察してきた「分節されない世界」の隠喩（メタファー）であるようにみえます。インドや中国のテキスタイルや陶磁器から霊感を受けることができたとしても、モリスの装飾は、一九世紀後半の繁栄と頽廃のイギリス社会に向けた「挑戦」として躍動します。インドや中国の様式さえ越える、より一層旺盛な、妖しいほどの生命感に満ちているという謎があるのです。それはどこから来ているのでしょうか。

　それはイギリスの「モリス以前」とモリスのデザインを比較すると直ちに分かることに関係しています。前世代の有名デザイナー、ゴシック・リヴァイヴァルの建築家で『対比』（一八三四年）の著者オーガスタス・ピュージン（一八一二－五二）の構造には、中世リヴァイヴァルの幾何学が際立っていました。タイルはピュージンが目指した厳粛な宗教空間、唯一神の創造したコスモスを再現する装飾です。一方、モリスの壁紙は、建築の壁のためのものであっても、人の身体に「纏われる」ような感覚を醸し出し、「肌・皮膚」の体温と艶めかしさが感じられるのです（図2-16）。

図2-16　左：ピュージン「タイル」1845-51年　右：モリス「ヤナギの枝」壁紙　1887年

「インテリア」という言葉には「室内」と「内面」という意味があります。石やレンガと壁紙との間には、物理的には「剝がれの隙間」があり、「構造と装飾」は離れていると一般には考えられていました。しかしモリスは冷たいレンガに温度を与え、「西欧という石壁」に皮膚のような温熱と艶を与えたといえます。モリスが生涯最も長く向き合った装飾芸術としての壁紙。それは、摺師の手の痕跡とともに、社会の分節・分断を加速させた帝国の機械主義への抵抗を示すものでした。

　モリスは「一枚の皮膚」としての装飾を生み出したということです。非西洋の先住の人々の肌に纏われたあの「魚皮衣」のように、生命的なものを行き交わせる「自然」との交感面を創り出していく。装飾の平面が、まるで室内の壁という「身体」に刺青を刷り込んだような皮膚の様相を呈しているのです。

ではその「皮膚」感覚と「体温」とはモリスのどこから来るのでしょうか。それは西洋の視覚芸術の伝統であった、「人間中心の視界」をつくりだす三次元の「遠近法」ではなく、二次元平面の全体に「大自然のうねり＝循環作用」を湛えている芸術です。とすれば、その「有機的構造」を彼はどのように実感したのでしょうか。そこにはさらなる理由――モリスと人類学との関係――が現れるはずです。

6　モリスと人類学

†モリスと古代社会

モリスは社会主義者として著した文章の中で、ヴィクトリア朝イギリスを、エドガー・アラン・ポーの幻想小説の「幽霊船」に喩えて厳しく批判しました（モリス＆ベルフォート・バックス『社会主義――その成長と帰結』一八九三年）。難破した人々に近づいてきた船の甲板でこちらに向けて白い歯を見せ、助けに行くよと微笑んでいた者は、なんと死人であったという恐ろしい描写で、イギリスの現在はこの悪夢のような幽霊船なのだと喝破しました。ものづくりをする労働者を苦しめ福祉の手も差し伸べない。それぞれが勝手に生きる社会になってしまった。真の働く喜びを協働で立て直さねばならない。帝国の絶頂期、市民は、「文明の発展史観」を謳歌する時代の真ん中におり、今の繁栄に酔う社会に閉じ込められている。モリスは、ものづくりの専門家、工人・職人・デザイナーとして、社会改革、リフォメーションに挑戦しました。

モリスが社会主義者として政治に関わったのは、オスマン帝国によるブルガリア住民の虐殺事件が契機となり自由党急進派として政治的発言をした四二歳のときでした。一八八三年には「民主連盟」に加盟。オクスフォード大学での講演会の席上で社会主義者を宣言、八五年「社会主義同盟」を結成し、機関誌『コモンウィール』[11]を創刊。同誌に発表したモリスの古代社会に関する論考は、代表作『ユートピアだより』（一八九〇年）とともに、「古代の過去の闘争の中で、未来を見るように」というソーシャリスト・モリスを浮かび上がらせます。ここにモリスは当時の近代科学として人類学が発見した「原始共同体」について思索することになります。

モリスは社会主義者を宣言する以前、一八七一年から、共に制作するアーツ&クラフツのコミュニティを田園地帯の「ケルムスコット・マナー・ハウス」で実現し、妻ジェーンや画家ロセッティたちと男も女も道具を手にして生活の美を創り出そうとしました。「装飾芸術」は協働のクラフトマンシップの精神と実践で繋がる「連帯」の営みであったのです。

彼にとってそのモデルは一九世紀の「人類学」が示した古層の共同体にも見出されるものでした。人類学者モーガンの『古代社会』（一八七七年）が出版された年、奇しくもモリスは「装飾芸術」についての最初の講演をしました。モーガンは、人種差別の人類学者として批判されますが、モーガンを読んでいたマルクス晩年の研究をモリスは参照しつつ、「前近代社会の共同体システム」を見据えていました。土地を共有し自然と向かいあい協働で生活する人々。人類学が明らかにしようとする先史古代社会、「原初」の慣習、自然の生命への畏敬にモリスの関心があり、それは著作『社会主義』（一八九三年）に記されました。人類社会の初期段階の祖先崇拝では、人間と動物界や無生物界の他の存在と区別がなされておらず、万物が等しく意識と知恵をもつと考えられていたという「アニミズム」の定義を述べています。「アニミズム」という用語は、まさにモリスがケルムスコット・マナー・ハウスで協働で装飾芸術を世に送り出していこうとする年に、同じ国イギリスの人類学においてエドワード・タイラーの『原始文化』（一八七一年）に言挙げされた概念です。生物・無機物を問わず、すべてのものに霊魂が宿り活動している。奇しくもモリスはこの時期に植物と小動物のオーナメントが息づく「壁紙」シリーズを発進させたのです。

モリスは「アニミズム」とは、野蛮どころか、むしろ鋭い探究心をもった科学でさえあった。裏返せば、私たちの科学も将来において迷信と化すだろう、とさえ書いています。事物が人間を支配するようになる社会が来ているが、人間がすべてを支配しおおせるという考えは誤りであること。既知で可視と思われている「人間」の世界は、見えない「自然」という原動力もしくは摂理によって動かされているのであり、「自然」は人間の能力を超えているという見識を披瀝しました。近代人は、アニミズムの観念を生み出した精神状態を想像するのがますます難しくなっているのは、「原始人よりも自然からはるかに離れてしまっているからだ。熟考する能力の発達が五感の直感力を鈍らせてしまい、それゆえ初期の人間には現実とされた多くのものが、私たちには荒唐無稽でありえないものとなってしまった[12]」。しかし子供の直感にはその名残があるようで、動植物を自分たちと同類の生きた仲間として受け容れることができる、とまで書いています。また、「トーテム」とは特定の部族や血縁（血統）に宗教的に結び付けられた動植物などの象徴のことであり「トーテミズム」とはその信仰の形態・体系のことですが、動植物は「祖先のシンボル以上のもの」で、「祖先そのものとも見なされた[13]」とも書きました。モリスの動植物に満ちた装飾芸術は、八百万（やおよろず）の「荒ぶる神々」や「精霊」をみつめる「アニミズム」のまなざしを映し出した視覚芸術であったのです。

†古層のよみがえり

すなわちモリスという美の使徒・社会主義者・思想家が、このような自然の生命を崇敬する「原始形態」へ深い関心を抱いていった要因に思いをめぐらすとき、モリスの出自がアングロ＝サクソン系ではなく、ケルト系ウェールズの「辺地」が祖の地だったことが想起されます。モリスのデザインと社会思想の根源には古典古代ではなく、人間がノーブル・サベージ＝高貴なる野蛮人として神々との蜜月に生きていた「古(いにしえ)」、「古層」への追憶が作用していたと思われるのです。一見無関係と思われるかも知れませんが、現代の日系イギリス人でノーベル文学賞作家のカズオ・イシグロ氏の『忘れられた巨人』[14]（二〇一五年）という小説は、「遠い時間と場所」からの一族の恢復がテーマです。日本の長崎にルーツをもつ日本人イシグロ氏が、ブリテン島の古層にあったケルト系ブリトン人の文化、失われた記憶への回帰を物語るのです。

モリスが人類史を遡行し「遠い時間」に興味を持ったのは、社会改革に留まるのではなく、「現在世界の中心にある西洋」からみれば、遥かに「遠い場所」、非西洋の装飾芸術から霊感を受けたという恩恵を得たゆえであったかも知れません。とともに、まさにその恩恵は大英帝国の覇権力と切り離せないものであったことを自己批判的に抱き、だからこそ「原始」と「異境」に逞しく生き残ってきた「他者の装飾芸術」、いや、「装飾芸術という他者」に、人類倫理の可能性を探ろうとしたのではないかと思えるのです。彼の内省、意識／無意識への遡行なくして、私たちは「モリスの装飾芸術」に宿る「自然・生命・成長」論を正しく評価することはできないでしょう。モリスは、あのシベリアの獣皮や魚皮と、人間の「皮膚」や「身体」との親密な関係に通じる「壁紙という皮膚」を、意識的にも無意識的にも、帝国主義下の西洋社会にもたらしたといえるかも知れません。

モリスの装飾表現に特徴的な強い「非分節性」には、「自然」「歴史」「芸術」が飽くなき「よみがえり」を創造的に繰り返すという、再生のダイナミズムが明瞭に可視化されていると思えます。そしてこの「再生」は、繁栄する現在から「最も遠い場所と時間」――文明の根源――からもたらされるという人類史のスパンにわたる思想を示しています。「社会主義同盟の宣言」の第二版で、モリスとバックスはこのように記しました。

すべての進歩、進歩のすべての特徴的な段階には、前進だけでなく後退も含まれます。新しい開発は、より高いレベルに引き上げられた古い原則を表す地点に戻ります。古い原則が再び現れ、変容し、浄化され、強くなり、一度死ぬことで得た充実した生を前進させる準備ができます。……すべての生の進歩は、直線的ではなく、螺旋状でなければなりません。[15]

このように根源的な循環構造を思い描けるのは、モリスが「装飾」という、死からの再生を祈る芸術を探求し、太古から営まれた「人類の芸術」に生涯クラフトマンとして関わったことによるでしょう。「ホモ・オルナートゥス：飾るヒト」としての人類が創りあげてきた、「分節されない世界」を途切れなきオーナメントに籠めて表したと考えられるのです。植民地帝国イギリスという巨人の国に生きた。だからこそ、モリスはそれによって分断されない遠い時空から霊感を受けようとしたのです。逆説のデザイナーにして思索者として。

7　装飾主義：オーナメンタリズムへ

†新しい装飾論へ向けて

私たちの二一世紀は、ポスト・モダニズムから歩みを進めた現在、「ホモ・オルナートゥス：飾るヒト」が紡いできた「装飾」の芸術は、現代国際社会が抱える政治・文化・宗教・人種・差別・メディアなどの諸問題に関わるテーマとなっています。

二〇世紀の後半、一九七〇年代後半から一九八〇年代に世界的な潮流となる「ポスト・モダニズム」時代に「装飾の復権」が到来し古典的に「確立されたもの（エスタブリッシュメント）」に異を唱える現代思想に影響を与えることになります（ロバート・ベンチューリ『建築の多様性と対立性[16]』一九八二年、チャールズ・ジェンクス『ポスト・モダニズムの建築言語[17]』一九七八年）。それは一九八〇年に「オーナメンタリズム／装飾主義」として、多様な時代と文化から様々な意匠が一枚の織物に召喚され「世界を綾成し」ました。「装飾」をめぐる芸術／文化／表象研究は、大英帝国統治下のインドの権威表象の解析（デヴィッド・キャナダイン『虚飾の帝国』二〇〇四年）や、アメリカの人種／階級社会における「アジア黄色女性の伝統装飾」をエキゾティック／エロティックの概念から解放しようとする研究（アン・A・チェン）等が試みられ、「装飾主義／オーナメンタリズム（術語）」の書名が盛んに現れるまでになりました（図2-17）。

図2-17　アン・A・チェン『オーナメンタリズム』表紙　2019年

人類史を貫いてきた「装飾」の創造は、強制力によって「分節される世界」に抗してきた「芸術人類」の営みの根源にあるものであり、絶えさせてはならない「生命循環への祈り」ではないでしょうか。その根源からよみがえる叡知は、「芸術人類／学」によって、いっそう発見されていくものであると思えます。

1 ルドルフ・シュタイナー『ゲーテ 精神世界の先駆者』西川隆範訳、アルテ、二〇〇九年［原著：一九一八、一九〇五、一九〇九］、一八一頁
2 Owen Jones, *The Grammar of Ornament*, London, Messrs Day and Son, 1856.
3 アロイス・リーグル『末期ローマの美術工芸』井面信行訳、中央公論美術出版、二〇〇七年［原著：一九〇一年］
4 エリック・R・カンデル『芸術・無意識・脳』須田年生・須田ゆり訳、九夏社、二〇一七年、二九頁
5 Franz Boas, *The Mind of Primitive Man*, New York, The Macmillan Company, 1911.
6 ジェームズ・フォーシス『シベリア先住民の歴史――ロシアの北方アジア植民地 1581-1990』森本和男訳、彩流社、一九九八年［原著：一九九二年］、五七頁
7 フランツ・ボアズ『プリミティヴアート』大村敬一訳、言叢社、二〇一一年［原著：一九二七年］、九〇頁
8 ポール・トムスン『ウィリアム・モリスの全仕事』白石和也訳、岩崎美術社、一九九四年［原著：一九九一年］、一六八頁

9 トムスン、前掲『ウィリアム・モリスの全仕事』一七一頁

10 A・ウェルビー・N・ピュージン『対比』佐藤彰訳編、中央公論美術出版、二〇一七年［原著：一八三六年］

11 ウィリアム・モリス『ユートピアだより』川端康雄訳、岩波文庫、二〇一三年［原著：一八九〇年］

12 ウィリアム・モリス、E・B・バックス『社会主義——その成長と帰結』大内秀明監修、川端康雄監訳、晶文社、二〇一四年［原著：一八九三年］、三二一－三三頁

13 モリス、バックス、前掲『社会主義』三二頁

14 カズオ・イシグロ『忘れられた巨人』土屋政雄訳、早川書房、二〇一五年［原著：二〇一五年］

15 Caroline Sumpter, Anthropology, Socialist Prediction and William Morris's Commonweal, *The Journal of the Social History Society*, 2012. p. 359

16 ロバート・ヴェンチューリ『建築の多様性と対立性』伊藤公文訳、鹿島出版会、一九八二年［原著：一九六六年］

17 チャールズ・ジェンクス『a+u臨時増刊 ポスト・モダニズムの建築言語』竹山実訳、エー・アンド・ユー、一九七八年［原著：一九七七年］

第 3 章

野外をゆく詩学

平出 隆

1 遊歩による構想——ポエジーの探究

「野外をゆく詩学」は、人類にとっての基礎的かつ重要な概念のひとつとしての「ポエジー」を探究することをめざすものです。「ポエジー」とは「詩」のエッセンスですが、合理的な思考とは別の経路をとってあらわれる「時空変換」と考えてみることができます。それは、触れた私たちの意識を別の時空に立たせてくれるものです。

ところが現代では、「詩」ということばが使われるとその探究は、たちまち幾重の障碍に取り囲まれてしまうようです。言葉を使って組み立てる「詩作品」だからポエジーをはらむと考えるのか、ポエジーは言葉による「詩作品」の外にも発生し、発見されるものと考えるのか、考えかたは大きく二つの道に分れるからです。

今日まで、近代詩や現代詩と呼ばれてきた領域は、もちろん、「ポエジー」を重要なものとし、他の諸芸術との連関を確かめてきはしたものの、つまるところ、文芸としての詩の形式を軸にしてのみ「ポエジー」を考えてきたために、そのかぎりで狭い場所に陥ってしまいました。

しかし、こうした隘路を破砕する道がないわけではありません。「ポエジー」は「詩作品」の外にも発生し、発見されるのだという考えを、科学的にあるいは客観的に、地道にまたは大胆に検証していくことがその方途になるでしょう。

「野外」の意味、「野外をゆく」の意味はここから来ています。つまり、思考の枠をみずから外し、現代社会という仕切りからさえ詩を解放し、発生そのものを「生きた古代」[1]（ノヴァーリス）とみなす。すると、「ポエジー」は「言語」に対してのみならず、その「形象」や「音響」という概念に対しても、広く深い領域において、いわばその「野外」の基底において関わるものであることが分ってきます。

なにより重要なのは、この概念が「根源の歴史」[2]（ベンヤミン）の発見に繋がると考えられることです。すなわち、この研究が行なうのは、文芸としての閉域から「ポエジー」を解き放ち、隣接する諸科学やその実践的方法と結び合って、人類にとっての原初的な力をふたたび見出そうとする試み、といってもいいでしょう。それがここでいう「詩学」です。

とはいえ、このような構想も、同時代の芸術の大きな価値転換の中から発生するものであることを免れません。私は一九七〇年代の初めから、詩と批評を同時並行的に書きはじめ、詩を軸にしながらも散文をフィールドとしてきました。その批評的構想は現代における「言語」と「事物」との関係の壊れや相互侵犯に関わり、「散文」に対しての「韻文」の囲いの壊れを前提にしていました。そのため、早くも出発において、すでにいくつもの問題系が「戦後の現代詩」を超えて錯綜しているのに気づきました。そのような中で、一九八〇年に私がつかまえたのが「多方通行路」という作品概念です。[3] これは「ひとつのテキストを、多方向から多方向へ通過していく、しかも相互に乗り入れ自由な文脈をつくりだすこと」という課題の中で見出されたものでした。この場合の「ひとつのテキスト」は、「詩」という概念に拡大されるものでもあります。

一九九〇年代には、場所を問うということ、端的に言い換えれば現代において「詩」を疑うという方法を明確に選択することで、まったく別の景色が見えるようになりました。私が著わした詩と散文のハイブリッドであるような作品は、詩と散文という二元論を疑うという試みでもあったのです。

この疑いは、信じうるかを疑う、というものでもあり、また科学者の探究の方法である根源への懐疑でもありました。私自身の囚われている概念を脱ぎ捨てなければ、先に行けない、という感覚に導かれてもいたのでしょう。この過程において、私にとって非常に重要と思える人々に遭遇することになりました。その人々は詩人だけでなく、美術家や哲学者や科学者もふくまれていました。詩学という概念は、ジャンルを問わぬことによって、詩以前、芸術以前を見ようとする人間の意識の構造を問うものだからです。

言語芸術という言いかたがあります。それは狭い意味では「言語を用いた芸術作品」すなわち文学という意味になります。しかし、より広い意味では「言語をつらぬく芸術行為」であり、その意味伝達作用のみならず、象形性や音響性や構築性などといった言語の物質性、あるいは外在性が重要さを帯びるものをも指すのです。すると、おのずから、音楽の中の言語に並んで絵画や彫刻や建築の中の言語が見出され、それらが文学の言語と流動的に繋がりあうことになるでしょう。

古典主義が崩壊した時代では、言語の基底は音楽における言語行為、美術における言語行為、そしてメディアにおける言語行為といったものをも包摂することになります。なぜならそれらは、言語の中にも音楽を聴き取り、言語の中にも美術を見出すからです。このように言語における物質的な性質を捉えなおすことによって生成されるものが、形象的思考、音響的思考、媒質的思考というものではないかと私は考えています。

いまから思えば、芸術人類学研究所が構想された時期に、私は『遊歩のグラフィスム』[4]（二〇〇七年）という長篇エッセイを書き継いでいて、或る広がりに出ようとしていました。その景色を捉えなおすと、幾人もの過去の優れた精神を繋ぐような「遊歩」の行程となります。

この『遊歩のグラフィスム』という本で私の研究対象の要となった人物は、正岡子規、ヴァルター・ベンヤミン、川崎長太郎、河原温、ノヴァーリスなどで、こうした人々の仕事を自由に繋いでいくことで、「野外をゆく詩学」を全体的な構想の輪郭として描くことができたと思います。それはエッセイという文体のもつ足どりの自在さに頼ったもので、このエッセイズムによる批評的散文という書きかたについては、幾人かの重要な日本近現代文学の書き手のそれが範となりました。森鷗外、夏目漱石、澁澤龍彦、古井由吉、玉城徹の名を挙げておきましょう。

この書きかたによれば、遠く離れたものに容易に接近でき、道のないところに道を見出すことができます。一方で、それが恣意的なアナロジーに終らないようにするための散文的な裏打ち、数学的な直観、飛躍の論理が必要となります。こうした工夫や強化をふくめ、遊歩的なエッセイズムは「野外をゆく詩学」における文体論や方法論に重なると考えます。一見して融通無碍にも映るであろうこの方法を可能としたものに、私なりのフィールドワークの積み重ねがあったことを補足しておきたいと思います。

たとえば『ベースボールの詩学』[5]（一九八九年）の中では、アメリカの失われた野球場の数々を訪ね歩きました。『葉書でドナルド・エヴァンズに』[6]（二〇〇一年）では、架空の切手を描きながらもうひとつの仮想的な世界を構築していった美術家の跡を、アメリカの生家からはじめて、彼が渡りたくて嵐に阻まれた、独自の切手を発行しているイギリスの孤島に辿ることになりました。『伊良子清白』[7]（二〇〇三年）では、一時期はほとんど忘れられた明治の詩人の筆を折ったのちの海山のあいだの足跡を、紀伊半島から台湾南端にまで確かめていきました。また『ベルリンの瞬間』[8]（二〇〇二年）では、ベルリンにはじまるベンヤミンの歩行を辿り、『ベルリンの幼年時代』[9]（一九七一年）におけるゆかりの地点から、デンマークとパリ、マルセイユ、スペイン国境における亡命の軌跡などを踏査していきました。

このような歩行の経験によって実証的な調査結果が得られていった、ということは当然のことですが、得られたものはそればかりではありません。すでになにも痕跡がなくなっている現実の土地に立つことがもたらす、いわば空無との対面に、とても重要な意味があることに気づかされていったのです。

実証的な成果をなにも得られないにしても、過去の優れた精神と同じ地点に立ってみること。同じ地点であるはずなのにすべてがすっかり変ってしまっていると感受すること。そして、それらの各地点を繋いで示す第二の、空虚の地上を見出すこと。このことが「多方通行路」という概念の発展であり、これからするお話の背景にあるステファヌ・マラルメからモーリス・ブランショに流れ込む現代の書物論に通じるものであることに、しかし、まだ私は気づいていませんでした。

2　詩的トポスとしての小さな家――地上的次元

芸術人類学研究所における活動として私のまずとった方法は、現実の地上に残されている過去の優れた精神の痕跡である「家」と、直接に関わってみようということでした。まずすでに論じてきた三人の、それぞれの「家」の保存と研究の活動に取り組みました。正岡子規の子規庵、伊良子清白の海村の医師の家、川崎長太郎の物置小屋です。

正岡子規（一八六七－一九〇二）が病臥して後半生を過した家が、東京根岸の子規庵（図3－1）です。現在も地元のボランティアの人々が中心となって、保存と広報の活動を行なっています。

子規は、和歌や俳諧などの古い詩歌を、短歌、俳句として日本近代に蘇らせた仕事で知られています。しかし少年時代に哲学を志向した彼の中では、構想はさらに大きく広がっていき、哲学と詩歌に跨（またが）る近代的ながらも原初的な領域を切り開こうとしていた、といえるでしょう。学問領域を指す今日の用語でいえば、芸術学であり、また、過去にも未来にも同時に関わる学問でした。だからこそ、彼が病臥しているその家には多くの書物が集まり、少なくない文人や画家が訪ねてきました。小さな庭の向うに上野のお山を望見していた子規でしたが、病が重くなるにつれてその視界は狭くなり、庭の花を見るのにさえ人の力を借りなければならなくなります。このように病臥しながら、子規は庭から摘まれてきた草花を絵筆で写生することに喜びを覚えます。

最後の日々に、病床で見えないように涙を拭きながら次のように語ったと、河東碧梧桐は書き記しています。

「病気の重つて来るほど、頭はいよ〳〵明敏になる、さういふと大言するやうであるが、哲学でも文学でも今までわからなかつた問題が驚くほどはつきりして来た、自分でも恐ろしい程だ、(中略) これ程明らかにわかつてゐるものが……それでもう死んで往かねばならない、宝の持ち腐れといふのは本統にこのことだ[10]」。

図 3-1　明治 32 年 6 月、縁側の子規

最後の日々の子規に見えていた、哲学から文学にわたる言語や芸術のありようがどのようなものであったか、それをつかむことはきわめて重要な課題です。時を経てなお今日、子規庵に入

り、その「病間」にしばし坐すことは、子規の視野に近づくための一助となるでしょう。

伊良子清白（一八七七―一九四六）は正岡子規より一世代後の詩人です。七五体や五七体と呼ばれる新体詩の形をとった『孔雀船』（一九〇六年）という詩集を一冊だけ残しています。若くして詩壇を去った清白は、父親の借財を追った貧しい医者として、家族とともに各地を転々としました。そして鳥羽の小浜という海村に至って、ようやく村医者として定住します。清白が詩壇を去ったのは生活上の理由もありますが、一九〇〇年代後半は、詩がそれまでの文語定型を壊しながら、自然主義的な感情表現を求めて非常な勢いで口語詩を誕生させていく、そんな大きな曲り角に来たことにもよります。『孔雀船』という詩集は、そのようにして新しい波の襲う中で難破してしまったともいえますが、文語定型でありながら一篇ごとに固有の形態をとりえている、奇蹟のように見える作品群でもあります。このことはなにを意味しているのか、というのが私の問いでもありました。そこには、古層を秘めた言語と新しく出現する発語形態とのあいだの「零度」の関係が見出せます。「零度」の関係とは、一つの極性における相容れない二つの項のあいだに、それらを相殺する中性的な地点が生れている状態をいいます。ここではその関係は、彼の転々とした国土の地勢や地形と連なっているのではないか、とも考えられました。

清白の詩には海と山のあいだを行く旅人の意識が印象的です。「漂泊」という名篇があり、「安乗の稚児」「海の声山の声」など、その詩は若い折口信夫に影響を与え、その『海やまのあひだ』(一九二五年)という第一歌集に影を落としています。因みに「海やまのあひだ」の語は二人のあいだだけで成ったのではなく、紀行文作家であった田山花袋も『南船北馬』(一八九九年)の中で、「海と山との間」を行くのだ、とくり返しています。それは折口少年も読んでいた、紀州の海岸の旅の記述だったようです。それぞれの志摩、熊野の旅の足跡は、驚くほど重なっているのです。

伊良子清白のご遺族から資料として二十五年分の博文館当用日記を提供され、私はその解読に二十五年をかけることになりましたが、詩壇を去ってからの日々を読み継いでいく中に、散文によって地形や光景を捉える記述が多いことに気づきました。ことに晩年、鳥羽小浜に定住してからは、眼前が海であるから当然とはいえ、一日ごとの光が素早い筆記によって書き留められています。

この『伊良子清白』という評伝を構想しはじめた時期に、当時、漁業協同組合が事務所として使用していたその家を、一目見ようと訪問したことがありました。新聞記事に、旧居が売りに出され、いずれ取り壊されるだろう、と読んだからでした。木斛(もっこく)の木が目印のその家を外から眺め、記憶に残したまま評伝に取り組み、十年ほど経た一日、私は今度は大台ケ原の山中に同じ家を訪ねることになりました。買い取った人があり、自分の別荘として移築したからでした。まさに海の家が山の家となったわけです。私の評伝の最後は、いまにもぐらつきそうなその家の中に入っていった極熱の夏の一日の記憶で終っています（図3-2）。

ところが、この本が出ることで、伊良子清白はもう一度世間の話題となり、さらに旧居の所有者が亡くなったことで、鳥羽市がこの家を買い取り、市内に移築するという話が持ち上がりました。私はこの移築事業に芸術人類学研究所として参画し、特別研究員であった建築家の大室佑介に託して外構部や庭や石碑の設計を扶けました。

図3-2　鳥羽小浜の伊良子清白の家

その家は居住部分と診察室と手術室とが一つになっている、天井の低い簡素な木造二階建てです。小浜の入江よりわずか十数歩のところから山中の家へ、そして鳥羽城下の公園内の家へという転々ぶりは、まさに漂泊の詩人の「漂泊する家」でしょう。

三つ目は、私小説家の川崎長太郎（一九〇一-八五）が戦前から戦後にかけて二十年間住んだ、小田原の海辺の「家」です。トタン張りの物置小屋で、小説家はそこに起き臥し蠟燭の灯りで書きつづけました。その失われた「小屋」をめぐる研究は、虚飾を削ぎ落としていく人間の本然的なありかたを浮びあがらせるものでした。

「私小説」とは日本の近代が生んだ世界的には特異な小説です。基本的に、私小説家は自身の身の上に起ったことしか書かない。それは小説ではありますが、できるかぎり「嘘」を排除し、実際に起ったことだけで作品を構成しようとする倫理や縛りや努めを自分に課しているものといえます。

一九七九年から逝去する一九八五年まで、この作家の晩年の担当編集者であった私は、作家の姿勢ということを、問わず語りに教えられました。そして、半身不随の左手書きで、原稿用紙にボールペンで刻みつけるように書き、書きながら限界まで推敲を重ねる姿を目のあたりにしたとき、「過渡期にあらわれる古代」[11]というテーマをつかみとりました。

小説であることよりも記録であることを求める、そのような書く行為が身体性を伴うとき、作家の書くという行為は、洞窟に残された初期の人類の手の跡と直接に連なって感じられるものだったのです。当時は、まさしく作家や詩人の書記行為が、ペンからワードプロセッサーへ移行する時期でした。やがて書物は電子空間へ移行をはじめることになります。明らかに人類のメディアは逆行不能の変化を開始していたのですが、それだからこそ、書くという行為や出版するという行為が、原初の姿を見せるということに気づかされたのです。

図3-3　小田原の物置小屋で読み書きする川崎長太郎

私が会っていた川崎長太郎は、老作家として現代の激流に黙然と屹立する、そのような時期にありました。しかし、三十代から五十代にかけての、作家として背水の陣を構えようとする時期は、実家の魚屋の、漁具などを納めておく物置小屋を住居としたのでした。

電気も水道も引かれていないトタン張りの小屋は、梯子段の上が宙空に浮くような二畳敷きの赤畳で、そこにビール箱をひっくり返した机を据えました。二本立てた蠟燭が原稿用紙や書物の明かりで、冬にはそれで暖をとりました。日に焼けたトタンのほてりで、夏は耐えがたい暑さとなります。そうなると寝るのは、小屋の廂の下や浜に揚げられている小舟の中でした。これが、川崎長太郎が二十年間生きた書斎であり栖（すみか）だったのです。この小屋は台風によって屋根が飛ばされ住めなくなるまで、小田原の浜辺近くにありました（図3－3）。

書くという行為を始原的なものと示す「家」として、この小屋の復元あるいは再建を唱えはじめたのは、建築家の大室佑介と青木淳、川崎文学の研究家である齋藤秀昭と私でした。私小説なので、再現のためのデータは作品の中にあります。二〇一五年に小田原文学館で開催された川崎長太郎展に協力する過程で、物置小屋全体の模型をつくり、二畳の部分を実物大で再現し展示しました。

文学散歩で終らず、保存のための記念館でも終らない「詩的トポスとしての小さな家」のプロジェクトを、このように展開してきました。子規の視界をとどめる子規庵、清白の海辺の医療所兼住居、そして長太郎の極限的なつましさの中の物置小屋。いずれについても、小さな家は大きな世界に対峙し、あるいは大きな宇宙を夢想する拠点としてあらわれているものといえるでしょう。一つひとつの地点に研究の視点を入れることによって、私たちはそれぞれの家の孤絶を、孤絶のまま繋ぎあわせようとしてきました。ベンヤミンのKonstellation を想起することもしばしばでした。

事実と理念との関係は星と星座との関係にひとしい、とベンヤミンは考えました。星座化 Konstellation とは、事実を事実のままにして、理念を描きとることです。一個の星は、孤絶した星そのものであると同時にわれしらず星座を構成しているので、いわば、事実と理念との二つの次元に引き裂かれていることになるでしょう。これは名づける側においても、二つの次元に引き裂かれていることを意味します。この引き裂かれたトポスに堪え、その二つの次元を生きることが、「根源の歴史」を認識する意味である、とベンヤミンは教えています。

3　エクリチュールとしての造本——メディア的貫通

詩を書く者の常として、私も少年時代から、紙の上に文字を置くということの魅力や意味に目を凝らしてきました。そして、中学時代には実際に、楷書体の手書き文字で限定一部の本をこしらえたり、謄写版で雑誌をつくったりしました。そして、大学時代からはタイプ印刷や活版印刷で、自分の作品を発表していくことになりました。

はじまりを一九六四年の中学時代とすると、それは視覚技術、聴覚技術、書字技術それぞれの変遷が激しく起った五十年余りということになります。テレビの出現を小学校低学年で経験し、二十代の終りにウォークマン、三十代でワードプロセッサー、四十代の終りにパソコンとeメール、そして六十になると電子書籍による自力の出版さえ可能になった——と、年齢的には技術革新をそのように経験した世代です。

翻って人類史的にいえば、紙の発明やグーテンベルクによる活版印刷機械の発明、個人の嗜好に徹して編集から造本まで行なうウィリアム・モリスの「プライヴェート・プレス」の実践、ダダやシュルレアリスムやフルクサスといった芸術運動にともなうアーティスツ・ブックの登場など、各世紀に画期がありました。近年では、一旦御破算になりましたが、グーグルによるすべての書籍のスキャン計画ということが、事件ともいえる問題となりました。大変に渾沌とした世紀のひとつを私たちは生きています。電子書籍によって紙の本が姿を変えるのは確かですが、けれども紙の本がなくならないということも明らかになっています。

大きな流れを見れば、過去の「画期」がふたたび意味を大きくするのであって、単純な進化ではありません。私は電子書籍へのシフトを進化としてではなく、「根源」が姿をあらわしてくる機会と捉えています。その「根源」はなにを教えてくれるでしょうか。私はそれを「インプレス」の思想と呼んでみたいと思います。四万八百年以上前とされるスペイン北部エル・カスティーリョの洞窟には、岩に顔料を吹きつけて描かれた人の手の形が残されています（図3－4）。それは人類最初期の絵画とされていますが、視覚言語による情報の記録・伝達の祖形とも考えられはじめています。記憶／記録である「インプレス」の思想は、今日における人類の記憶／記録の保存方法を問いかけていきます。これま

図 3-4　エル・カスティーリョの洞窟の人の手形

での保存方法でいいのか、こういう歴史の書かれかたでいいのか、とつねに批判をもって、しかも実践的にそれを行なおうとするものです。

ここで私自身が二〇一〇年からひそかにはじめた「エクリチュールとしての造本」という営みについてお話ししましょう。《via wwalnuts 叢書》と名づけたこの本の形態は、封筒を表紙としてまとい、本体は折り畳んだ便箋を組み合せたような、基本はわずか八ページのものです。ISBNコードをもっていて、書籍として公的に流通します。初刷り四十部、定価七七七円の設定です。求める人のもとには郵便物として郵便受けに届きますから、書き手と読者とがいわば一対一で繋がる関係を創出します（図3－5）。

図3-5 《via wwalnuts 叢書》

本というものを極限まで小さくすること。しかも自費出版でもプライヴェートなZineでもなく、公の市場にも眼力ある読者にも公的（パブリッシュ）に通用する精度を保つ。こういうことが可能になるのは、高度化しかつ平準化した技術、パソコンや編集ソフトや印刷機のおかげです。また町の本屋さんではなくインターネットをとおして、直接に読者に呼びかける環境の出現も重要です。しかし、そこで活かされているのは、私が長年、印刷に関心をもちながら、著者として編集者として、あるいは学生時代に新聞部員として身につけた、「組版」や「印刷」における最低限の審美や倫理や技術なのです。

私はこの叢書の形態を「ブックレター」とも呼び、詩の発表のスタイルとしてばかりか、ポスタル・アートの一種としても見ていただけることを望んでいますが、自分では書き手の最終的な根城として「背水の本」という意識があります。

一人の人間の成長過程で、郵便と書物とは、別々のものとして意識されるでしょう。ところが、それらが一つのものの別のあらわれではないか、と感じられることもあるのではないでしょうか。ここに、「郵便と書物とはどのようにして別れ、どのようにして出合うか」という問いが湧き起ります。

フランツ・カフカの文学はカフカ全集の中に読むことができます。ところが、手紙と日記の分量が全集全体に占める割合は、尋常ではありません。私個人にとっては、カフカの作品以上に手紙によって、カフカの文学的本質に魅了されてきました。

また、エミリー・ディキンソンを読むと、自身の詩が世界への手紙であるという認識が、比喩以上に深いものであることが分ります。そればかりか、その詩には、なぜか封筒を裂いた紙片の上に書かれているものが多く残されているのです。ここにも、書くことと郵便

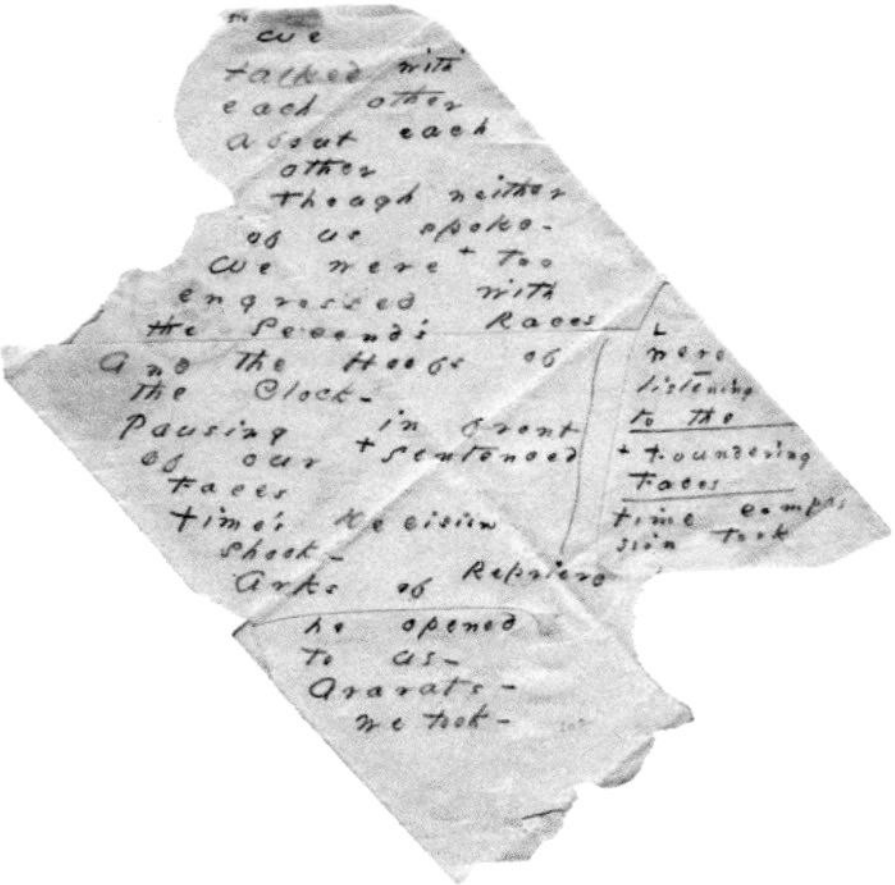

図3-6　エミリー・ディキンソンのEnvelope Poem

との関係が如実にあらわれているといえないでしょうか（図3-6）。

人類にとって「手紙」の意味の深さは「手紙を読む女」の絵画の系譜にあらわれています。フェルメール、ハマスホイ、浮世絵、その他もろもろの絵画にそれは描かれてきました。しかし、二十世紀初頭以降に継起的にあらわれた未来派、ダダ、フルクサスの運動には、印刷と郵便をめぐる明らかに別の位相が見て取れます。

新旧の違いの本質的要素は、手紙を書く、出す、という行為において、その書く、出す、という行為が制度の破壊あるいは改変に向ったところに確かめられるでしょう（私がこれらをメール・アートではなくポスタル・アートと呼ぶのは、制度との関係を見たいからです）。

制度の破壊や媒体の改変を可能にするものは、ほかならぬ媒体や技術の実質性です。印刷や紙をめぐる環境とは、その遷移もふくめて、破壊や改変を可能にする最終的な実質性なのです。電子メディアにも同じことがいえるでしょう。

通信技術はその歴史上、通信の既成制度を改変する宿命を帯びています。一方で芸術は、通信を求めて通信を超えようとする、あるいはそれから逸脱しようとする本質をもつものです。二十世紀半ば以降、芸術が通信技術と出合い、組打ちしあうのはそうした両者の本質のためではないでしょうか。

郵便という形態は、多くのものを引き寄せます。ダダ、未来派、シュルレアリスムから、ブックアート、ポスタル・アート、コンセプチュアル・アートといった諸芸術の継起は、郵便‐書物の軸において観察されます。書物史と同様、郵便史もまた、人類史の濃縮された過程と見ることができるのです。

私は、別々に出合ったはずのドナルド・エヴァンズと河原温とをあらためて比較します。そこに郵便‐書物の軸があらわれているからであり、書くこと（描くこと）をめぐっての相補関係が見出せると思われるからです。

一人の人間の成長過程で分離される郵便‐書物とは、言い換えれば、人類史の過程での二つのエクリチュールへの分裂を示すものかもしれません。「唯一人に向けて」と「多数の一人に向けて」との分裂です。では反対に、それら両者をいま一度合体させ、造本によって一つの媒質に同一化させ、書く行為の源初的な矛盾を公共性の中へ貫通させることによって、なにが生み出されるのでしょうか。マルセル・デュシャン、レイ・ジョンソン、ジョゼフ・コスース、ソル・ルウィット、河原温、ドナルド・エヴァンズなど、現代美術におけるポスタル・アートからアーティスツ・ブックにわたる展開において、郵便と深く融合する書物を眺めながら、書字行為の奥行きを示すものとしての郵便の可能性を考えています（図3-7）。

図3-7　ドナルド・エヴァンズ
CATALOGUE DU MONDE

4　想像力と《インク》による書物論――物理学的

フランスの科学哲学者ガストン・バシュラール（一八八四－一九六二）は、科学史研究から詩的想像力の探究に及び、科学と哲学と詩学を瑞々しい思考で繋いだ現代思想の巨人といえます。

ジョゼ・コルティ（一八九五－一九八四）という、詩人でかつ詩書出版の社主だった人が、みずから制作し刊行した『インクの夢』[12]（一九四五年）という本について、バシュラールは「ある物質の夢想」という短い文章を書いています。『インクの夢』には意図せずにこぼして広がったような、インクによる版画が収められています。バシュラールはこれに言葉を寄せて、書きものに奉仕するはずのインクが、かつて鉱物であり大地に属していた過去をみずから語っているものである、といいます。バシュラール自身も、コルティ書店からたくさんの著書を出していたことから、この文章は書店への感謝の意味もふくまれていたと思いますが、それ以上に、書物に棲みついたインクとその由来する大地に対するオマージュでもあるところが、バシュラールならでは、といえるところです（図3－8）。

図3-8　ジョゼ・コルティ『インクの夢』

このように物質的想像力というものは大地とか、海とか、非常に大きな自然から発しているささやかな通路に目を凝らします。鉱物はインクになって、インク壺やプリンタの中に潜みます。物を書く人はそれにペン先を浸して書くかもしれませんし、それで指を汚すかもしれません。読む人は紙と一つになったそれが、鉱物であったことに想いを馳せることはないでしょうが、だからこそ、鉱物としての過去を無意識のうちにそっと感覚するのかもしれません。

読者にとって、イメージの発生する現場を書物だとしますと、その現場にある文字において、遠い過程を貫いて物質としての発生が見えてくるということですね。

先ほど触れた、ジョゼ・コルティの本についてのバシュラールの言葉に戻りましょう。

「もしもあらゆるエクリチュール以前、物を描こうというあらゆる意志以前、記号を明示しようというあらゆる野心以前に、ある大夢想家が、魔術的物質の内密な夢に導かれるに委せ、染みの打明け話のすべてに耳を傾けるならば、そのときにはインキは、白のうえに黒くみずからの詩を語りはじめ、おのれの結晶の遥かな過去の形を描きはじめる。(略)すると、紙面の白そのものもやはり花開きはじめるのだ[13]」。

バシュラールがインクと紙の関係を語るこの語りかた自体に、物質的想像力の発生の一例が見られるのではないかと思います。物質的想像力へのバシュラールの視点の絡みかたというのは、このように「以前」や「原初」を見つめる様相が基本であり、ここに紙とインクと夢想との好ましい三角関係を見て取ることができるでしょう。それは、書物論として非常に貴重な部分ではないかと思われます。

バシュラールは「物質と手」という別の文章で、似たような様相を物理学の観点から語っています。黒い鉛筆を持ってデッサンの仕事をする、画家のことを語っているところです。

「一体いかなる距離に至ると、黒と白とのこの親密な相互の呼び合いは始まるのか」。

「いかなる限界に達すると、外向型の粘着力が内向型の凝集力に打ち勝つのか。いかなる瞬間に、炭素原子の波――黒い花粉！――は、鉱を離れて紙の気孔に侵入するのか。物理学は、簡潔至極な言葉で答える。10^{-5}センチメートル、一万分の一ミリメートルで、と。原子はさらにその千倍も小さい[14]」。

描くという行為と白い紙と黒い鉛筆との関係を捉えようとするとき、そこに原子のふるまいを見つめるのが、科学と詩学の頭脳を併せもつバシュラールの面白いところです。

古代の哲学から人間は原子について考えてきました。とくにデモクリトスの原子論、その後にそれに対して修正を加えたようなエピクロスの原子論がありました。古代からのこの系譜のことは、バシュラール自身も初期から科学的な論文で非常に細かく論じています[15]。

デモクリトスの原子論というのは、空間とはどういうふうにできているかを考えるときに、突きつめて一番小さいものが原子だとするものです。つまり、この空間の中にもいろんな物質があるわけですから、突きつめて一番小さいものが原子ならば、その原子と原子のあいだにあるのはなにかということになる。すると、そこにはなにもない、つまり虚無だということになります。虚無の空間の中に原子がある、これがわれわれの世界だといったわけです。

そのときデモクリトスは、原子は重さをわずかにもっているから、たくさんの原子が下へ降りていっていると考えました。それに対して、エピクロスが微妙な修正を加えます。それは「クリナメン」という現象で、原子が下へ降りていっている中で、一つだけちょっと横に逸れる。エピクロスは、こういう例外的な現象が起ってそれが余波を広げないのであったならば、世界はいま見るような豊かな様相は呈さないはずだ、というふうに考えます。

この一つだけ横に逸れるのはなぜかというと、そこに気まぐれのような物質の意思がある。みんな一律に運動しているのではなくて、一つだけふっと、偶然なのか、違う動きをする。この系譜はさらに物理学的記述に韻律を与えたルクレティウスの『物の本質について[16]』に流れ込みます。

こういう原子論の歴史も踏まえながら、バシュラールもまた、ここに物質の意思があらわれ、「物質が夢を見る」と考えたのでしょう。書物のページの紙を浸蝕したインクの一端が、鉱物であった過去からの夢に襲われ、その夢が展開して一冊の本になる——というふうな彼の科学的な考えそのものに「クリナメン」が作用しているかのようです。このように詩の自由な夢想に見えるものが、科学的な思想と結び合って展開されていく。バシュラールの非常に特異な発想は、その後もミッシェル・セール[17]などの現代の思想にも強力に継承されていきます。

しかし、ここで私が銘記するのは、詩学と科学とがしっかり出合う場所があるということです。このとき、先ほどのインクと結びつけて考えると、書物の空間とは、客観的な意味で原理的な場所なのではないか、と思われます。このような虚無の空間の中で文字を読むことにより、人類のイマジネーションが働いてきたわけです。原子の動きに近似した文字の運動である書物空間があり、文字の運動の中でのちょっとした乱れが、たんに手中に開かれた書物の上であった時空を別の次元へ変換し、われわれの想像力を広大に動かしていくのではないかと考えます。一人ひとりの「読み」の差異や乱れもまた、そのように好ましいものとして考えることができるのではないでしょうか。書物における物理学、それは詩的な物理学ですけれども、それを展開することによって、新しい書物論が生れるのではないかと考えているところです。

現代物理学の最前線でループ量子重力理論を提示しているカルロ・ロヴェッリは、古代のデモクリトスの原子論から説き起し、中世のダンテの世界観を二十世紀のアインシュタインの直観に繋ぎながら、次のように書いています。「偉大な科学と偉大な詩は類似の世界観をもっており、時として同一の直観にいたりさえするということである。わたしたちの文化は、科学と詩を別個のものと見なしているが、こうした捉え方はばかげている。世界の複雑さと美しさは、詩と科学の双方によって明らかにされる。この二つを切り離して考えるかぎり、世界を曇りない目で見つめることはできない[18]」。

ここで重要なのは、科学と詩の関係が、領域のアナロジーではなく直観の同一性として捉えられていることです。それでいま私が考えているのは、本を書くことやつくることを、インクと紙の物質性への注視からはじめることです。そうしながら、物質的想像力の運動の場として広がる「書物」の空間を考える。背骨を軸に開いたり閉じたりするその半開構造もまた、洞窟や渓谷のように根源的なトポスを具えていると思います。そしてこのような思考はそのまま、科学、哲学、詩学、そして人類学などが、挙げてそこに関わっていくような場所を考えることになります。つまり諸学が連環して立ち上がってくる場所が構想されるのです。私はこの構想をこれから、《空中の本へ》という名の下に展開することを意図しています。

5　物の秘めたる——美術家たちの言語

われわれが「物」を見るとき、石なら石を出来事や意味から離れて存在するただの物体として見ているのか、というと、そうではないでしょう。物からの気配を受けとめ、なにかを返そうとする。このような関係は新しくはじまったわけではなくて、じつは古来、人間が物に向きあうときにはじまり、そのたびに物と人間とのあいだで起ってきたことではないかと考えます。

人間がなぜ言語をもつに至ったかについては諸説ありますが、有力な一つには、人類には高い模倣の能力があって、自然界の物に呼応してそれをまねようとする、つまりは物と呼び交わす力があったからではないか、と捉える説があります。

物の組成や状態に対して直接的に働きかける人々がいます。美術家たちです。私は彼らの頭の中だけではなく手の中でも、言語が働いている様子に惹き寄せられ、何人もの美術家とのあいだでいつからか見えない対話を重ねてきたような気がします。

二〇一八年の十月から翌年一月まで開催された「言語と美術――平出隆と美術家たち」展（DIC川村記念美術館）はこのような対話から企画されたものです。

会場は、建築家の青木淳さんに構成を委ねました。私小説家川崎長太郎の小屋の再建プロジェクトを共にしてきた青木さんは、私の書物論的思考をすでによく理解してくださっていたのでした。行き着いた会場構成は多方向に通り抜けできる迷路のようでありながら、

図3-9　モーリス・ブランショ『文学空間』

構成としてとても明快でした。通路となって循環する四つの部屋と、その中央に各部屋を融合するかの小部屋を一つ配置するものです。美術作品が展示される四つの部屋には、対向する壁面のあいだを切るように「空中の本」が、あるいはテグスで吊られ、あるいは長大で透明な梁状の器に容れられて架かります。中央の小部屋は美術とも言語ともいえない展示物のためのものとしました。エミリー・ディキンソンが封筒に書きつけた詩稿、モーリス・ブランショが加納光於に宛てた手紙、河原温から岡崎和郎に個人的に宛てた絵文字一つだけの手紙などです。その小部屋の天に近いところにはまた、『インクの夢』に収められていた各紙片がばらされ、星座のように掲げられることになりました。

一九六二年にモーリス・ブランショというフランスの批評家の『文学空間』[19]という本が翻訳刊行されました（図3-9）。駒井哲郎さんの強烈な銅版画による、しかし飾り気のない装幀のこの本は、日本の文学界・思想界のみならず美術界にも大きな影響を与えました。一九七八年の或る雑誌のブランショ特集号[20]には三人の美術家が異様なほどに力のこもった新作を寄せていたのです。中西夏之さんが表紙を描き下ろし、本文中にもたくさんのカットを入れています。また、若林奮さんと加納光於さんは、新作を制作し、それを数ページにわたって掲載しています。ブランショという、言語の極限に迫っていく思想に対して、三人の現代の画家が同時に、無音の熱狂ともいうべき反応を示し、新作を寄せた——この反応自体の中に言葉と美術の関係が非常に深くあらわれていると考えられる、そんな出来事でした。

若林奮さんは早い時期に、太古の洞窟の壁画をフランスに訪ねて、さらにそれを精細な文章に記述し[21]、鉄の作品を制作する自分の現在と太古の芸術の発生した時空との関係について考えを深めました。

加納光於さんは、人類の存在しなくなった世界での色彩、ということを思考する美術家で、中西夏之さんは描くことであらわれる内面性や身体性を、描くことによって削ぎ落とすという画家です。それぞれ、「非人称性」や「中性の状態」や「零度」といったブランショの思考に全身で寄り添うはずのものなのです。

詩の行為は言葉を使うことが前提になっています。言葉を使うということは、物質を使わないというふうに言い換えることもできるでしょう。つまり、言葉は物質を指し示すものですから、物質そのものではないのです。

ところが、詩を書くという行為は言葉を物のように扱うことによって成り立つ。言い換

図3-10 「言語と美術」展会場における河原温《TODAY》と平出隆《pripo》

えれば、通常の意味伝達だけではなくて、音の響きとか手触りとか、そういうものも含めて詩を書く行為が成り立っていく。一方、美術の行為というのは、まず直接に物に働きかけます。絵の具にせよ、鉄等の素材にせよ、物にまず働きかけてなにかをつくろうとする。そのとき、言語というものはない、というふうに捉える美術家もいると思います。言語を不要なものとして最後まで通す美術家も当然いると思いますが、しかしその違いは、言語という概念をどう捉えるかによるのです。

　ダダやシュルレアリスムを経て、二十世紀の美術にはそれまで合理性の下で眠っていた言語が溢れるようになりました。いわば言語の氾濫は意識的にめざされるようにもなっていったのです。つまり、それ以前の時代の、言葉と図像の截然たる分れかたや組み合せかたではなくて、言葉とイメージがその発生から混ざり合うようにして運動していく。

　その過程で、とくに一九五〇年代、六〇年代にアーティスツ・ブックといわれるような、美術家がオブジェとして本をつくる動きがあらわれてきました。さらに、その後のコンセプチュアルな展開もあるのですが、まずは、美術家たちが書物に近づいていく流れがはっきりとあったのです。それは、媒介物としての書物というものが、言語と物質のあいだ、詩と美術のあいだに互いを打ち消しあう深淵を開くからではないでしょうか（図3－10)。

書物についてのこのような見方というものを、われわれはどこかで深く人類の記憶のようにしてもってきました。人はときに、本の外見を見ただけでわくわくして、早く読みたいな、と思ったりします。それは普通には読書への意欲と考えることもできるのですが、同時にそこに、石の中のまだ聴えない言語を見つめる視線と同じ視線を働かせているのではないでしょうか。「物質に秘められている言語」が書物に投影されていればこそ、類的な記憶によって、私たちは書物というものを普遍的な場所と感じるのかもしれません。

6　Inversionと複素数の構造——数学的

ポエジーの原理とはどのようなものかを考察するにあたって、幸い日本語は俳句という非常に短い詩型をもっています。俳句の構造を見極めること、それは「極めて小さなもの」を研究することによって「すべて」に近づこうとする、という意味において、時空やはじまりの概念、空虚や原子や次元の問題を考えることに似た詩学となるでしょう。このとき肝要なのは、俳句のテリトリーの中の議論に巻き込まれないようにすることです。

　そこで、俳句を俳句たらしめている必要条件とはなにかを確かめます。まったくの初学の人への、俳句はこうつくりなさい、という一般的な教えは、その構造を表しているはずです。どういうふうに組み立てればよいのかという教えは、江戸時代から今日までそう変っておらず、「五七五、季語を一つ、切れを一つ」という三箇条であり、あとは重複のない表現を、というくらいです。おそらくその余の教えは、教えようとする者の主観や時代性によって付加され、増大したり変形したりするものでしょう。

　この中の「切れ」というものの解釈が、人によって大いに変ります。「切れ」とはなにか。それを生む「切字」とはなにか。どれほど重要なものなのか。それをめぐっての議論は混乱の歴史であるといえます。一つの理論を立てても、それを覆す作品があらわれる。助詞の省略や主述の倒置をどう考えるかで意見が分れ、或る句が佳句であると証明するために、理論が修正されるという本末転倒も起るようです。

　一方、仕組みの観点からの初学への教えというものがあり、それによれば、俳句のつくりは二通りで、「一物(いちもつ)仕立て」と「二物(にぶつ)衝撃」という二種の構造しかありません。前者は一つのパートからできていて、後者は二つのパートからできています。これは一句を三つに分けてはいけない、という教えを潜ませていますし、前述した「切れを一つ」を裏付けています。切れを二つにすると三つのパートに分れてしまうからです。そこに隠れているのは、五七五と三つの節に分れている全体を三つに分けると「運動」が起らないという原理です。

三つに仕切られている器に、一種類の要素を入れるか、二種類の要素を入れるか、いずれかにすること。三つの小容器にそれぞれ三つの要素を入れないことによって、言葉の運動は静止せず、多様に動き出すということになります。

「二物衝撃」とは、たとえば切字「や」を介して互いに異質の二つの文のパートが取り合せられた構造です。一つの例を挙げましょう。

菜の花や月は東に日は西に

もうひとつの「一物仕立て」は、二本以上の複線が縒(よ)りあうようにしてできる流れを、「けり」とか「かな」という切字によって句末で強く切るものです。

葱買て枯木の中を帰りけり

わずか十七音の連鎖の中に「文」を込めようとすると見るならば、一つの文を押し込む場合を「一物仕立て」、二つの文を押し込む場合を「二物衝撃」と呼ぶのだということもできます。

俳句には基本的にこのような二つの構造しかないことが俳人たちのあいだで永く確かめられてきたのです。私は二十年ほど前にこの二種の構造の併存がなにかに似ていると気がつき、そのアナロジーをいろいろな角度から検証してきました。

それを語る前に「切れ」をめぐる議論の泥沼に足を取られないようにする説明が必要です。それは、俳句が詩であるならば、俳句における「切れ」というものが詩の原理において普遍的ななにかであるということを証明し、これに仮の名を与えた上で、俳句だけの領土から救出することです。それが普遍的ななにかであるならば、いつでも俳句の中に戻すことができるわけで、俳句の人々も文句をいう筋合いはないでしょう。

仮にこれを「詩的切断」あるいは「詩的跳躍」と言い換えてみます。これでも議論の泥沼に足を取られそうですが、より広い場所、文芸の外の「野外」に出ることはできるでしょう。

私はそれを、「$a+bi$」という式で表現される複素数の中に見出しました。

自然数から、整数、有理数、無理数と数の概念を広げてきた数学者たちは、想像数と訳してもいい虚数「i」を発見します。

「a＋bi」の「a」と「b」は実数で、「i」は虚数、この式で「a」は実部、「bi」は虚部を成しています。この「＋」というのが重要で、プラスは結合を意味するかのようですが、式としてはついに結合しえないことを表現しています。虚部と実部とは水と油のように結合しえないのです。この「＋」が、先ほど「詩的切断」「詩的跳躍」と言い換えたもので、より単純化された姿といえるでしょう。

bがゼロの場合、「i」は姿を消し、したがって「＋」も無用となり、ポエジーは生成しません。しかし、aがゼロの場合、「bi」となり、虚数と実数はいわば組み合っています。

こうしてみると、俳句における「二物衝撃」は「a＋bi」、「一物仕立て」は「bi」の形であり、「切れ」は「＋」にあたることがお分りでしょう。

ところで「i」はどのようにして生れたのでしょうか。これは数学者たちがいろいろな探究と発見を行ないながら数の領域を広げていった果てに、「i」というものを導入しなければ、数の領域の「すべて」を対象化できないとしてつかんだものでしょう。想像を介して生れたという意味で、imaginary numberと名づけられました。「i」というのは二乗すると、-1になる数ですね。「i^2 = -1」は一辺が一メートルの正方形の土地を失ったあと、その土地の一辺を非在の次元にとどめたまま表示しえたものと言い換えられます。失われたものをそのまま表すことができるのです。それまではマイナス符号を付して、失われたものを「もし実在していたら」という意味で実在の領域に反転させて表しなおしていたのですが、虚数を用いれば、失われたままの次元で表すことができます。

このように、虚数部は失われたもの、存在しないものを表しますが、そこにこそ「すべて」への飛躍が巧まれているといえるでしょう。

芸術が人間の意識の深層に潜む失われたものや、死者や共同の記憶の彼方に必然的に関わるものであるとき、数の領域においてそこに対応するものが虚数部分となるのです。

非常に小さな形式である俳句において、この虚数が働くのは季語の集合に畳み込まれた共同の記憶によります。その宝庫としての歳時記から、言葉を一つ引き出してくるだけで、作者と読者は広大な時空を共有することができるからです。

したがって、俳句は虚数部を決めると、あとは「a」か「b」のところが作者の仕事となります。虚数＝共同の記憶（大きな時空）と実数＝個人の経験（小さな時空）とが、互いに相容れない次元を嚙み合せます。こうしてつくりあげられた簡易ながら変化も生める制作システムは、国民みな俳人となれそうな状況を助けているといえるでしょう。

しかし、そのように平均的につくられた佳句と不朽の名句といえる句との違いはどこに探し出せるのでしょうか。そんなふうに考えると、この数式もまた、一つの形骸でしかないように思えてきます。

しかしここから、私たちの心身がポエジーによって揺さぶられ、ここにいてここでないものに巻き込まれるかのように感じる、「感動」というものの正体に近づかなければなりません。

ここで考えられるのは、超絶的な俳句においては虚部と実部との関係で、ときに虚と実が入れ替わる廻転が起っているのではないかということです。このことは、私たちの心が想像力によって虚の中へ入ろうと動くこと、そして虚の中に入り込んだと思ったとき、それまで実であった部分が虚になるということです。つまり、虚数部と実数部の双方に同時には入れないことによって、私たちの意識のほうが廻転させられ、大きな時空と小さな時空の入れ替えの中に投げ出される――いってしまえば、それが「感動」するという状態なのです。

稲づまや浪もてゆへる秋津しま

この句で切れを伴った季語の提示である「稲づまや」によって、共同の記憶としての季節感が虚数部として共有されます。つづくところが実数部のはずで、たとえば船旅の目に、島から島へと結んでいくかのように白浪が映ったという実景、つまり個人の経験となるでしょう。

ところが、この句は廻転を起してしまいます。「秋津しま」というのは、ご存じのように、日本列島の別名です。つまりこれは日本列島を上から見て、日本列島が白い浪によって縁取られている情景ともいえるのです。普段私たちが見ることのできないはずの空からの情景が捉えられています。そうすると、島は虚数部（共同の記憶）のほうに入り、「稲づま」が実数部（個人の経験）になってしまいます。虚と実は両方同時に経験できないので、虚に入ったら、それまでの虚が実になる。すると、それまでの実が虚になる。こうして、作品そのものが「切れ」を中心に廻転運動を起していくのです。

静止的な虚と実の関係ではなく、句そのものが廻転体であるように感覚されること。それこそはポエジーの現象であり、自分がどこにいて、なにが起って、いまがいつなのか、分らなくなるという超越的な経験であるのでしょう。それを私たちが「感動」というのではないかと思います。

ここにはきわめて明確な例を出しましたが、虚数と実数の関係が相互に絶えざる反転Inversionを起すとき、それがひそやかなものであっても私たちは類的な大きな時空と個的な小さな時空との絶えまない変換の中に心身を攫(さら)われるのだと思われます。

凧(いかのぼり)きのふの空のありどころ

前句と同じく蕪村のこの句は、さまざまな解釈や議論を呼んできました。「凧」で切って二物衝撃と見なすことができ、「凧は」と補って一物仕立てと見ることもできるからです。また、目の前にあるはずの唯一のものが非在のものの存在を示すという形而上的様相のせいでもあります。この句の「きのふ」に対して、では、河原温の「今日」を接続して考えてみましょう（図3-11）。

図3-11　河原温《TODAY》

一九六五年の或る日、河原温（一九三二－二〇一四）は一つの決定的なアイデアをつかんで、その瞬間、背筋に電気が走るような震えを覚えたといいます。それは脱出するように日本を離れてから六年後のことです。メキシコ、フランスと移りながら思念を凝らし、ニューヨークを定住地として選び取るあいだにも試行を重ねながら、ついに《TODAY》シリーズ、いわゆるデイトペインティングの構想を見定めるのです。しかし、すぐには着手せず、慎重に準備して翌一九六六年一月四日に、この革命的な「絵画」が発進します。

その日の日付をその日のうちに描くというルールがみずからに課されました。この日付絵画を中心にして、《I GOT UP》《I WENT》《I MET》《I READ》《I AM STILL ALIVE》などのシリーズが連繫して生れてきます。一見して自身の周辺を流れる時間をつかまえようとしている作品と見えますが、むしろ時間を変換し、自身の周辺から解放しようとしているといえます。そのことを私は、瞬間を描きとめることが夢であった絵画のありかたを変換して、その絵画の夢の外に出て、瞬間にみたされた空間の造形というこれまでの夢を、空間にみちた瞬間瞬間の連鎖へと解放した、というふうに論じました。[22]

つまり徹底的に自己の一日の時間を画面に描き込みながら、その超越的な無個性性によって、観る者の前に同じ一日を突きつけてくる。個的な時間と類的な時間を一つの平面に同一化させるという、これは単純なだけにかなり決定的な美術史上の発見であり、革命的転換といえるものでした。

超絶技巧の人であり大変な論客でもあった日本時代の若き河原温は、同時代の戦後美術に対して挑発的かつ根源的な批評や議論を行ないました。その中で、「偉大な芸術家は偉大な鑑賞者であった。鑑賞から創造へという過程を見落とさずに捉えれば、鑑賞もまた創造であることが意識される。芸術は創造を呼びかける伝達である。その伝達とはなにか、ということが根源的に問われなければならない」という趣旨の発言があります。[23] この思考が一九六五年秋のニューヨークにおいて、ついに《TODAY》に形を取ったのです。彼の「コンセプチュアル」の意味は、他のコンセプチュアル・アーティストのそれと異なり、じつは超弩級の直接性を求めてのものだったと私は捉えています。

このような、絵画が絵画の外に出るようなしかたでの発見を、「絵画の零度」の発見と呼んでみましょう。そしてそれが絵画の底にひろがっている言語であることが明らかになった以上、それは「形象の零度」とも「言語の零度」とも言い換えられるものとなります。そうすると、そこから新しいプログラムを見出すことができるように思えます。私はそれを Air Language program と呼ぶことにし、まずそれを三行ずつの脚の長い詩形にして先の「言語と美術」展の一室の吊架線に下げてみました。[24]

7　Air Language——空中の本へ

Air Language ということばは聴き馴染みのないものだと思います。これは私の造語ですが、先の展覧会で掲げた「空中の本へ」ということばを英語に訳そうとして見つけられたものでもあります。Airに込められているのは「なんでもないもの」「空虚なもの」「あるかなきかのもの」というニュアンスです。そのようなものであればこそ、それを介して、すべての存在が通いあう、という夢想的な言語概念といえるでしょうか。

ここまでお話ししてきた中で、自明のものとしてその内実を疑われてこなかった「伝達」や「感動」といったことばが根源から問いなおされるところにも、このAir Languageは見出されます。また、注意深く聴いてくださった方は、私が「零度」ということばを再三にわたって用いたことにお気づきでしょう。矛盾しあい、相容れない二項が交わるとき、あるいは相殺しあうとき、そこが小さな場所であればあるほど、大きな変換が起ります。

時間と空間、過去と未来、実在と非在。ポエジーの発生の原理は、たとえばこれらの二項の交点に集約されます。この原理は、先に述べた実数と虚数との結合／非結合により「すべて」を対象にしようとする数学と対応していますし、より高次の次元は極小の原子の中に畳み込まれていると観る現代の物理学とも対応しています。この場合、「すべて」とは、実在に重ねて非在をも扱うという意味ですし、次元の変換を経験することは、死者や歴史や記憶や夢や感情を対象としつづける芸術の根拠でもあります。この交点において成立する芸術こそが人類史と関わるものであるという例を、河原温の《One Million Years》[25]に見てみましょう。

《One Million Years》の初形は、過去と未来百万年ずつの年号を一年一年タイプライターで印字し、バインダーに綴じ込めるというものでした。その次に制作されたのが、聖書サイズの革装革函入り二巻本の堅牢な書物です。過去と未来の二巻とも、見開きに千年分の年号を精密に組み上げ、一巻二千一ページに百万年の連続した年号を収めます。「過去」の巻の初めにFor all those who have lived and diedとあり、「未来」の巻の初めにFor the last oneとあります。「過去」の終りはAD一九六九年、「未来」のはじまりはAD一九九三年です。制作する現在は推移しますから、必然的に幅をもちます。当然ながら、過去百万年という長さは、人類史のはじまりをふくんでいますし、未来百万年が人類に与えられている時間かどうか、知る術もありません。

書物につづいて制作されはじめたのが《One Million Years》のCD版です。男声と女声が交互に一年ずつの年号を読み上げる百万年のリーディングは、作家の死後もその指示通りに展覧会の会場などで継続され、過去は金色、未来は青色のCDに録音されていきます。過去はBC九九八〇三一年から、未来はAD一九九四年から、それぞれ声に出して読みはじめられましたが、まだ全体の十分の一を超えたばかりで、いつ読み終えられるとも知れません。河原温は、世界でもっとも長大な本、読み終えられないかもしれない書物を構想し、実現させたのです。そればかりか、この書物の中からそれを読み通そうとする声を解放したといえるでしょう。

このような声をAir Languageの一種として聞きながら、ふとまた別の、言語ならざる方向へ解放された言語の存在に気づかされました。

スペインの近くにカナリア諸島があり、そのラ・ゴメラ島にはシルボ・ゴメーロという口笛の言語があります。この島は険しい山と谷ばかりの地形で、もともと先住民グアンチェ族が遊牧をしていました。谷を挟んで、尾根と尾根のあいだで人々は口笛によって話を交わします。普通の空間では大きな声を出しても数百メートルが限界だと思いますが、彼らは口笛で数キロメートルの距離でも意味内容を伝えることができるそうです。しかしそのグアンチェ族が滅びると、同時にグアンチェ語も失われてしまいました。ところが口笛による伝達法だけは残り、新しく入ってきた現在の島民たちがスペイン語を口笛で伝える技法をいまも受け継いでいます。日常会話だけではなく、学校教育でも公用語の一部としてこの口笛の吹きかたを教えているといいます。

シルボ・ゴメーロは二〇〇九年にユネスコの無形文化遺産に登録されて有名になりましたが、興味深いのは空間との関係です。つまり尾根と尾根、そして谷、その上の大きな天空の広がりという空間において、一対一の、それでいて社会を成り立たせる清冽なコミュニケーションが行なわれているのです。このような口笛言語は、世界中で七十くらい見つかっているそうです。グアンチェ族がグアンチェ語とともに滅びたあとにも口笛言語だけは残って、そこに別の国語を入れているのであれば、それは国語以前の言語、言語未満の言語であるように思います。そのような口笛言語は、言語とはなにか、伝達とはなにか、それを可能にする空間とは、と問うための素晴らしい素材の一つでしょう。ここから私たちの心に振動や廻転を与えてくれる、運動体としてのポエジーのありさまを想像することもできます。

　このような思考の布置にそってポエジーを考察しようとするとき、私に大いに力を与えてくれるのはノヴァーリス（一七七二―一八〇一）という詩人です。

　ノヴァーリスは二十九歳という短い人生の中で、未完の小説のほかにさまざまな断片を書き残しながら、「ポエジー」を中心にした未来に繋がる諸学の連環を構想しました。そしてこの構想の要に数学という学問を挙げています。しかし彼は、数学を特別な学問ではなく、むしろすべての学問が基礎とするような、道具のように使うべきものだといっています。そしてやがて、学問はすべて数学であると考えて、「数学の詩学。数学の文法。数学の自然学。数学の哲学。数学の歴史学。哲学の数学。自然の数学。詩学の数学。歴史の数学。数学の数学[26]」ということをいっています。

　ノヴァーリスの「諸学連環」はたんにアナロジーによってなされているのではありませ

ん。数学を基底にし詩学を基軸にしたポエジーをめぐる思考の自在さは、アナロジー関係相互のあいだのアナロジーにまで達しているからです。領域をめぐる思考が、いわば、大地に発し、虚空に達しているからです。「もしかしたら、大きな山脈は、この予言者たちがかつて通った道の跡を示しているのかもしれませんし、山は山で、自分の力で大きくなり、天空にわが道をたどろうとするつもりだったのかもしれません[27]」。

Air Language の探究が文学的批判を行使せず「零度」の言語の地点からはじめるのは、「詩」が配置される一領域の時代性への深い批判を養いながらであり、かつその泥沼から身を逸らすためです。数学を基底にすればむしろ、たとえば自然変換を扱うカテゴリー論によって、過去の文学的言語を文学から解放し、詩的言語を詩の神話から解放する可能性が見えてきます。

人類の純粋意識が言語を介して物質と交渉しあう際に、次元の変換が発生する現象を Air Language として探究する。Air Language――この呼び変えられた「ポエジー」は、科学的直観との同一性の確認を求めるために、自身の機能を極小の動的な変換の原理として見出します。そしてそれを書物的なものを発見する、または制作するという行為に接続させることよって、既成の諸領域の外部に晒し出します。

それは詩的直観の動的な発動であり、このような探究を制作行為として進めれば進めるほど、次元変換において科学的直観と詩的直観とが、似ているのではなく同じだという意味が明瞭になります。科学的直観が発動された歴史的諸例と、詩的直観のふるまいが呼応していることにも気づかされます。さらには科学からの人文知へのこだま、美術や音楽からの言語芸術へのこだま、なにより自然と物質の内部からの人間へのこだまを聴き逃さないように努めることができます。

こだまのための場所は書物のトポスに求められますが、すでにそこは書物の形姿を脱ぎ捨てようとしています。もはや聖書以前の書物であり、粘土板以前の書物、草の巻物以前の書物です。人類は十五世紀に現在の「書物」を見出してこれを六百年ものあいだ大事にしてきたという考えの方向は、ここでは大きく転換されるでしょう。短くとも五千年は、長ければ四万年は、本のようなものを探す意識が、空中に、自身の廻転を容れる器を探してきたのですから。いや、自身の廻転とともに廻転する器を、本以前の本が探し、そしていまも探している。ノヴァーリスのようにいえば、大きな過去の富の中に入っていくことは、現在の自分を未来の申し子にするのです。子規のようにいえば、「今までわからなかった問題が驚くほどはっきりして」来る。

一人と人類との不断の転換の原理を見ながら、手の中でいまはじめて生れてくる「古代」を捉えきる詩学の構想、これは、一冊の書物に宇宙全体を閉じ込める試みではなく、同じことのように見えますが、徹底した外部の空間そのものを外部のまま書物として形成しようとする構想であり、覆された書物のイメージに導かれる、詩学ならざる詩学といえるでしょう。

1 「断章と研究（一七九八年）」『ノヴァーリス全集 2』青木誠之・池田信雄・大友進・藤田総平訳、沖積舎、二〇〇一年
2 ヴァルター・ベンヤミン「認識批判的序説」『ドイツ悲劇の根源』川村二郎・三城満禧訳、法政大学出版局、一九七五年〔原著：一九二八年〕
3 平出隆『多方通行路』書肆山田、二〇〇四年、一九〇頁
4 平出隆『遊歩のグラフィスム』岩波書店、二〇〇七年
5 平出隆『ベースボールの詩学』筑摩書房、一九八九年
6 平出隆『葉書でドナルド・エヴァンズに』作品社、二〇〇一年
7 平出隆『伊良子清白』新潮社、二〇〇三年
8 平出隆『ベルリンの瞬間』集英社、二〇〇二年
9 『ヴァルター・ベンヤミン著作集 12 ベルリンの幼年時代』小寺昭次郎訳、晶文社、一九七一年
10 河東碧梧桐「従軍前後」『子規を語る』岩波文庫、二〇〇二年、二六二頁

11 註2前掲書
12 José Corti, *Rêves d'encre*, Librairie José Corti, 1945.
13 ガストン・バシュラール『夢みる権利』渋沢孝輔訳、ちくま学芸文庫、一九九九年、八三頁［原著：一九七〇年］
14 前掲書、九五－九六頁
15 ガストン・バシュラール『原子と直観』豊田彰訳、国文社、一九七七年［原著：一九三三年］
16 ルクレーティウス『物の本質について』樋口勝彦訳、岩波文庫、一九六一年
17 ミッシェル・セール『ルクレティウスのテキストにおける物理学の誕生』豊田彰訳、法政大学出版局、一九九六年［原著：一九七七年］
18 カルロ・ロヴェッリ『すごい物理学講義』竹内薫監訳・栗原俊秀訳、河出文庫、二〇一九年、一三六－一三七頁［原著：二〇一四年］
19 モーリス・ブランショ『文学空間』出口裕弘・粟津則雄訳、現代思潮新社、一九六二年［原著：一九五五年］
20 『現代詩手帖　ブランショ』一九七八年十月臨時増刊号、思潮社
21 若林奮『I.W――若林奮ノート』書肆山田、二〇〇四年
22 平出隆『言語としての河原温』via wwalnuts、二〇一一年
23 河原温「印刷絵画」『美術手帖』一九五九年臨時増刊号、九〇頁
24 校正刷り版『AIR LANGUAGE PROGRAM 草稿』写真＝奈良原一高《デュシャン　大ガラス》東京パブリッシ

ングハウス、二〇一八年

25 On Kawara, *One Million Years*, Editions Micheline Szwajcer & Michèle Didier, 1999.

26 「フライベルク自然科学研究（一七九八―一七九九年）」『ノヴァーリス全集 2』、一三四－一三五頁

27 「青い花」『ノヴァーリス作品集 第2巻』今泉文子訳、ちくま文庫、二〇〇六年、一四一頁

付記 以上の文章は、多摩美術大学芸術人類学研究所紀要『Art Anthropology』に掲載された「物置小屋の先生」（1号、二〇〇八年）、「世界の見える家」（3号、二〇〇九年）、「「エクリチュールとしての造本」から共同研究におけるメディア構想へ――《via wwalnuts》を契機に」（6号、二〇一一年）、「海辺の物置小屋から世界へ」（11号、二〇一六年）、「詩的トポスとしての小さな家」「「書物論研究」の輻輳」（12号、二〇一七年）「物質的想像力と《インク》による書物論」「「空中の本へ」の構想」（13号、二〇一八年）「物の秘めたる言語」「「言語と美術」展と人類史の文脈」（14号、二〇一九年）、一橋大学開放講座での講演「電子書籍時代の造本」（二〇一四年）、多摩美術大学生涯学習センター連続講座「ことば・郵便・アート」（二〇一六－一七年）、かまくらブックフェスタでの講演「空中の本へ」（二〇一七年）、同「AIR LANGUAGE――さらなる空中の本へ」（二〇一九年）などをもとに本章のために全面的に再構成したものである。

第４章

「東方哲学」の樹立に向けて

安藤礼二

文化の古層、表現の古層はただ過去にのみあるのではない。私は、民俗学者であり国文学者でもあった折口信夫（一八八七－一九五三）から、そう学んだ。文化の古層、表現の古層は、祝祭のただなかで、歌と踊りを通して、いまここによみがえってくるものなのだ。

文化の古層、表現の古層を、人間にとっての文化の原型、表現の原型と読み替えてみる。文化の原型、表現の原型は、祝祭という反復の度に、まったく新たなものとして再生される。祝祭という反復は、北と南にひらかれた無数の島からなるこの極東の列島に流れ込んだアジアからの、あるいはユーラシアからのさまざまな文化の流れ、表現の流れを一つに融け合わせ、これまでとはまったく異なったものとしてよみがえらせる。反復は差異を生み出し、差異は反復を促す。そこに文化の原型、表現の原型が立ち現れる。

神道の基盤となったシャマニズム、インドに生まれ極東の列島で変容して定着した仏教。それらをもとに、固有でありながらも普遍にひらかれた極東の列島の哲学たる「東方哲学」を構築していくことは充分に可能であろう。そのためには、探究の視野をまずは最も広げなければならない。

われわれが生まれたグローバルな近代を条件としながらも、さまざまな箇所に綻びが見えはじめたその近代を乗り越えていくための新たな宗教哲学である「東方哲学」、その樹立のために私は、まずはこの列島からははるかに遠いインドへ旅立った。さらには列島の奥深い山々のなかへ……。中心と周縁、過去と未来、アジアと日本の差異を意識しながらも、それらの分断を乗り越えて行かなければならなかったからだ。

私は、これから、来たるべき「東方哲学」のヴィジョンを、ここ数年のうちになされた個人的な旅の記録として、しかしできうれば個人の体験を超えて普遍的な思考にまで届いていることを願って、綴っていきたいと思う。

1 インド、神智学、近代仏教

私は、二〇一四年の一〇月の末から一一月の初めにかけてインドを旅してきた。デリーに入り、ブッダガヤーを経て、コルカタ（カルカッタ）に向かった。いまから百年以上も前、岡倉覚三天心（一八六三－一九一三）が歩んだ道を、ちょうど逆の方向からたどり直したことになる。

岡倉はコルカタでヒンドゥーの教えを近代的に甦らせたラーマクリシュナ・ミッションの創設者、スワミ・ヴィヴェカーナンダ（一八六三－一九〇二）と出会い、意気投合し、二人でゴータマ・シッダッタが悟りをひらいた約束の地、ブッダガヤーを目指した。岡倉は大乗仏教の近代的な可能性を探り、ヴィヴェカーナンダはヒンドゥー教の近代的な可能

図 4-1　ブッダガヤー：ブッダが悟りをひらいた菩提樹前

性を探っていた。その二人の間に実り豊かな対話が成立したのである（図4-1、図4-2、図4-3）。二人が出会ったのはコルカタのベルール・マト。フーグリ河（ガンジス河）に面したラーマクリシュナ・ミッションの本拠地である。そこでは、ヒンドゥー教各派のみならず、キリスト教、イスラーム、仏教など個別の諸宗教の枠を超えた、総合的で普遍的な宗教を確立することが模索されていた。

　ヴィヴェカーナンダが依拠したのは、さまざまに多様な顕れ方をするヒンドゥーの神々の根源には「一」なるものが存在し、しかもその「一」なるものは内なる小宇宙の中心に位置する真の自我（アートマン）と外なる大宇宙の中心に位置する根源的な原理（ブラフマン）とが一致する地点で可能になるという「不二一元論」（アドヴァイダ・ヴェーダーンタ）であった。森羅万象あらゆるものは「仏」となる可能性を種子のように孕んでいる、あるいは森羅万象あらゆるものは「仏」と一体化することが可能であるという大乗仏教の「如来蔵」思想ときわめて近い理念だった。さまざまな宗教とさまざまな神々が入り混じるインドの地で、多様なものを産み出す総合的で普遍的な「一」なるものを目指す。一世紀以上も前に一人の仏教徒と一人のヒンドゥー教徒との間に結ばれた友情と対話はいまでも決して古びていない。多くのことを考えさせられたインドへの旅であった。

図 4-2　ブッダガヤー

＊

このインドへの旅が可能になったのは、新たな時代の「総合宗教」を標榜した「神智学」（テオソフィー）を主題とした共同研究によってであった。神智学の勃興と、アジアという限定を乗り越えていく近代仏教の興隆は相互に密接な関係をもっていた。近代のインドに仏教を復活させたアナガーリカ・ダルマパーラ（一八六

図 4-3　生家に建つスワミ・ヴィヴェカーナンダ像

四－一九三三）に最初に援助の手をさしのべたのはインドに本拠地を構えた神智学徒たちであった。岡倉とヴィヴェカーナンダが目指したブッダガヤーは、ダルマパーラの主導によって仏教の聖地として再興されたものだった（それまではヒンドゥー教の聖堂となっていた）。岡倉やヴィヴェカーナンダは神智学徒ではなかった。しかしながら、岡倉やヴィヴェカーナンダが新たな可能性を見出そうとしていた近代的に再解釈された大乗仏教やヒンドゥー教と、神智学徒たちが確立を目指していた新たな「総合宗教」は共振し合うものだった。そこに近代日本思想史のみならず近代世界思想史を捉え直すための一つの鍵が秘められている。

インドを舞台とした仏教、ヒンドゥー教、神智学の接近と融合。その背景には、西洋と東洋という分割以前の「根源」の世界への関心が共有されていた。近代を条件としながらも、近代を乗り越えていくことが意識されていた。世界が文字通りに一つに結ばれ合った一九世紀、人間にとって個別の宗教ではなく普遍の宗教を求める衝動が高まる。その前提として、古代のインドで話され書かれていたサンスクリット語と古代のギリシアで話され書かれていたギリシア語はまったく同じ文法構造をもった同一の言語（「祖語」）から分かれでたものであったという大きな発見があった。つまり、東洋と西洋という分割はもはや成り立たない。そもそも東洋と西洋は一つの「起源」を共有していたのである。東洋と西洋に分かたれる以前の根源的な言語と根源的な神話の体系、さらには根源的な宗教の体系を探究することが可能になったのだ。

その根源的な宗教は、「秘密」の、つまり言葉にはすることができない「神秘」の体験を通じて世界の真実に到達できることを説いていた。あるいは、「神秘」を通じて、有限の人間が無限の存在、つまりは聖なる超越者と「合一」できることを説いていた。世界が一つにつながり合ったいまこの「時」こそ、かつて間違いなく一つの世界として存在していた古代の普遍的な宗教を再興することが可能になったのだ。古代に還ることによって未来をひらく。しかもその際、神智学徒も仏教徒もヒンドゥー教徒も、あくまでも近代的な科学の方法を用いて「神秘」の体験の真実に迫ろうとしていた。しかしながら、「神秘」とは、定義上言葉としては表現することができない「体験」を意味していた。この点において神智学は、相互に矛盾するような二つの側面を抱え込むことになった。

一つは「死後」の世界を探る、当時の心霊学などとパラレルであった極度にオカルティックな側面、もう一つは普遍的な宗教を求める、これもまたやはり当時草創期にあったアカデミックな宗教学などと共振する学問的な側面である。神智学という新たな「総合宗教」を創設したヘレナ・ペトロヴナ・ブラヴァツキー夫人（一八三一－九一）、その協力者であるとともにダルマパーラに献身的な援助をしたヘンリー・スティール・オルコット大佐（一八三二－一九〇七）。さらには神智学を糧としてそれぞれ西洋と東洋で、あるいは世界で、名を成していく二人の巨人、神智学から別れて人智学を組織したルドルフ・シュタイナー（一八六一－一九二五）と日本の神智学運動の隠れた中心であった鈴木貞太郎大拙（一八七〇－一九六六）。シュタイナーと大拙のいずれの営為においても、オカルティックで霊的な探究と、比較宗教学的な神秘体験の探究とがせめぎ合い、一つに融け合っていた。

神秘体験の根源を探るという点で、シュタイナーや大拙が体現しているように、神智学は宗教のみならず、まさに当時のアヴァンギャルド芸術の発生と深く関係していた。宗教の根源を探ることにおいて東洋と西洋の区分が消滅してしまったように、芸術の根源を探ることにおいても東洋と西洋の区分は消滅する。あるいは科学（サイエンス）と芸術（アート）の区分もまた。宗教、科学、芸術の新たな相互関係、新たなパラダイムが生み出されたのである。

＊

英語を用いて大乗仏教の本質に迫ろうとした鈴木大拙は神智学と密接な関係をもっていた（自宅を神智学の支部として開放していたことを考えれば「神智学徒」であったと言ってしまっても良かろう）。もちろん大拙が残した膨大な業績のすべてが神智学によって可能になった、などと言いたいわけではない。その影響関係は、今後、慎重に腑分けしていかなければならないだろう。しかしながら、大拙の妻となった神智学徒ビアトリス・レーンの存在が大きかったとはいえ、大拙が神智学的な探究に、終生、主体的な興味と関心を抱いていたこともまた疑いようのない事実である。

そしてこの大拙こそ、神智学的な探究と、大乗仏教とヒンドゥー教を近代的なかたちに甦らせたアメリカの一元論哲学の交点に位置する特権的な人物であった。一体、どういうことなのか。二七歳を迎えようとしていた大拙は日本に見切りをつけ、単身、アメリカに渡る。大拙をアメリカに招いたのはポール・ケーラスというドイツからアメリカに帰化した人物である。ケーラスはシカゴで出版社オープン・コートを経営し、そこからさまざまな単行本と二つの雑誌、『オープン・コート』および『モニスト』（一元論者）を刊行していた。ケーラスが確立することを目指していたのは、雑誌のタイトルにも採用された「一元論」（モニズム）の哲学である。相対的な「二」ではなく、絶対的な「一」の探究。

　ケーラスが求めたのは、主観と客観、精神と身体、あるいは記憶と物質といった「二」に分割される以前の「一」なる領野である。そこでは主観と客観、精神と身体、記憶と物質といった二元論は断固として否定される。ケーラスは生物学的、心理学的、宗教学的、哲学的な「一」を果敢に追究していった。ケーラスの営為や『モニスト』について、フランスの哲学者アンリ・ベルクソンは肯定的に（『創造的進化』[1]一九〇七年）の源泉の一つとして）、ロシアの革命家レーニンは否定的に（『唯物論と経験批判論』[2]一九〇九年）の標的の一つとして）、受容していった。精神的な生の哲学と物質的な社会の革命思想に、それぞれ正反対の方向ではあるが、アメリカの一元論哲学は甚大な影響を与えた。ケーラスが、自らが求める「一」を、近代よりもはるか以前から実践しているとして大きな期待を抱いたのが仏教である。

　ケーラスが仏教と出会ったのは、一八九三年にシカゴで開催された万国博覧会に併催された万国宗教会議においてだった。この宗教会議に、大拙の師である釈宗演（一八六〇-一九一九）、後に南方熊楠と「曼陀羅」をめぐって文通を続けることになる土宜法龍（一八五四－一九二三）などがアメリカに招かれた。大乗仏教の教えがアメリカに上陸したはじめての「時」である。ケーラスにとって「自我」を粉砕する仏教の教えは一元論哲学の最もラディカルな実践としてあった。それだけではない。このとき、日本館である「鳳凰殿」（フェニックス・ホール）をプロデュースしたのが岡倉天心であり、宗教会議の席上で「不二一元論」の現代的な可能性を説いて聴衆から大喝采を浴びたのがヴィヴェカーナンダだった。ここに一つの思考の環（サイクル）が完成するのである。

ケーラスのもとで大拙は、一元論的な哲学に最も合致する教えとして『大乗起信論』を選び、英訳する。大拙から百年近く後、東洋哲学の一つの原型として『大乗起信論』をあらためて遺著として取り上げたのが井筒俊彦（一九一四－九三）である。井筒俊彦は、慶應義塾大学で折口信夫の教えに接して大きな衝撃を受けていた。折口は文学的表現の発生、哲学的思惟の発生と直結するシャマニズム的な「憑依」の可能性を説いていた。極東の列島に生まれた人間としてははじめてアラビア語から『コーラン』全篇を日本語に翻訳した井筒俊彦の一神教は、鈴木大拙の仏教、折口信夫の神道を一つに総合したところで可能になった。

鈴木大拙から井筒俊彦へ。その系譜を明らかにしていくこと。それこそが「東方哲学」の最も重要な課題である。しかし、そのためにはいったんグローバルな地平を離れて、きわめてローカルな聖なる「山」のなかに入っていかなければならない。井筒俊彦に「憑依」のもつ可能性を示唆した折口信夫が見続けた「祝祭」の諸相を明らかにしなければならない。

2 「翁の発生」の射程

私は、二〇一五年一〇月八日に奈良県奈良阪町にある奈良豆比古神社の「翁舞」、同じく一一月一四日から一五日にかけて愛知県東栄町の「花祭り」、同じく一二月一六日から一七日にかけて奈良春日大社の「春日若宮おん祭」のフィールドワークを行った(図4-4、図4-5、図4-6、図4-7)。いずれも、能楽の「翁」の起源に密接に関係するものであった。以下に記されるのは、それらフィールドワークの経験を踏まえ、またその過程で得た知識をもとにして、柳田國男の民俗学と折口信夫の古代学を一つに結び合わせ、歴史学と芸術学を最も創造的に総合するために構想された来たるべき「東方哲学」にして来たるべき「祝祭学」のための素描である。「東方哲学」とは、「祝祭」のもつ可能性を哲学的に解き明かしていくことからはじまる。

＊

図4-4　ばちの舞：花祭りでは神事の後、まず太鼓の「ばち」を清める。ここから一夜をかけて神聖な「湯」を中心にさまざまな舞が執り行われる

図4-5　ばちの舞

図 4-6　山見鬼：花祭りの前身の「大神楽」では、深夜、人々が籠もる「白山」を鬼が切り裂いたという。山見鬼にはその痕跡が残されている

図 4-7　山見鬼

折口信夫に導かれるようにして、これまでさまざまな「翁」を観てきた。最も狭義の「翁」といえば、能楽の「翁」であろう。どの流派においても、「翁」は舞台をはじめるための特権的な演目として位置づけられている。「翁」は、洗練の極にまで高められてしまった能楽のきわめて古い形態、原初の舞台芸術そのものの在り方を教えてくれる。「翁」は舞であるとともに神事である。この「翁」という演目のみ、演者はその面を舞台の上でつける。神聖なのは人間の身体ではなく「翁」の面の方なのだ。しかも「翁」は舞台の上に、相次いで二体登場する。まずは白、そして黒と。舞台を最初に清めるのは、面をつけない若々しい「千歳」である。次いで、能のシテ方が白い「翁」の面をまとい、ゆっくりと厳かに舞う。「千歳」と白い「翁」が退場してしまった後、狂言方が激しく躍動的な「揉ノ段」を舞い、黒い「翁」の面をつけ、鈴を手に「鈴ノ段」を舞う。この黒い「翁」は三番三（もしくは三番叟）と呼ばれている。黒が白を反復し、黒が白を「もどく」（真似をする）のだ。

白と黒、能と狂言、厳粛と滑稽。二つの対立する要素が、良く似た分身であると同時に正反対の姿をもつ鏡像でもある二体の「翁」によって、反復のうちに一つに統合されていく。人間はそのとき人間ならざるもの、すなわち「神」へと変貌を遂げる。しかも、「翁」は洗練された能の舞台を離れ、人里離れた山奥の村々で、無名の人々に担われて、今日までその荒々しい原初の生命力を保ち続けていたのだ。愛知と静岡と長野の県境である天竜川沿いの村々で現在でも演じられている霜月神楽、奥三河の「花祭り」、新野（にいの）の「雪祭り」、坂部の「冬祭り」、そして水窪（みさくぼ）の「西浦田楽（にしうれ）」に折口は通い詰め、何ものかに取り憑かれたようにそれらを見続けていたという。折口は天竜川沿いの村々で演じられている霜月神楽のなかに「翁の発生」を見出したのである。「もどき」たちが次々と舞を披露した後、神楽のクライマックスには、柔和な「翁」ではなく、凶暴な「鬼」が出現する。人々は、その「鬼」を荒々しい神、つまり「荒神」と名づけていた。

「翁」の起源には「鬼」すなわち「荒神」が存在する。それは折口の創見ではない。なによりも能を舞台芸術として大成した世阿弥自身が、自分たち猿楽の徒の起源として「荒神」を位置づけていた（『風姿花伝』第四神儀云）。世阿弥の娘婿の金春禅竹は、さらに一歩踏み込む。「翁」は「鬼」であり「荒神」であり、それゆえ森羅万象あらゆるものに変身することが可能になる、と（『明宿集』）。今日では、天竜川沿いの村々に人々を結束させる神楽をもたらしたのが修験の徒であったことが分かっている。しかも、その修験の徒たちが「荒神」の種を撒いたのは天竜川沿いの村々だけではなかったのだ。たとえば、宮崎県の椎葉村、あるいは岩手県の早池峰山。そのどちらにも山伏神楽が伝えられ、神楽のクライマックスには、やはり荒々しい仮面をまとった山の神、すなわち「荒神」がその姿をあらわす。「荒神」は胎児のように自らの頭に「胞衣(えな)」をまとい、「母胎」そのものを模した舞台に立ち現れる(井上隆弘の諸論による)。自然によって形づくられた舞台とは、そのまま生命を孕む母胎となったのだ。

明治の末年、『後狩詞記』、『石神問答』、『遠野物語』という連続する三冊の書物を刊行し、たった一人で民俗学という新たな学問を創り上げてしまった柳田國男(一八七五-一九六二)。その柳田が、三冊の書物で主題としたのは、平地とは異なった生活を営む「山人」の問題だった。さらに焦点を絞れば、「山人」と「平地人」との境界の地に出現する、記紀神話には記載されていない異貌の荒ぶる「神」という問題だった。折口信夫は、そうした柳田のヴィジョンに震撼させられ、自らの進む道を民俗学に定めた。もちろん今日では、柳田が当初抱いていた山人=列島の先住民説は否定され、「翁の発生」も中世までしかさかのぼることはできず、折口のいう「古代」までは到底届かない。しかし、柳田の『後狩詞記』が問題としていたのは宮崎県の椎葉村に伝わる狩猟儀礼と「山の神」の問題であり、『遠野物語』にあらわれる異形の山人たちの故郷は岩手県の早池峰山だった。柳田と折口は、まったく同じ「翁」と「荒神」という問題を、まったく異なった立場から見ていたのだ。

つまり、表面的な対立を超えて、柳田國男の民俗学と折口信夫の古代学を、「翁」と

「荒神」をめぐる祝祭学、すなわち「翁の発生」をめぐる来たるべき祝祭学として組織し直すことは充分に可能だと思われるのだ。その来たるべき祝祭学は、「翁の発生」を媒介として芸術学と歴史学を一つにつなぐ。それでは、「翁の発生」の射程は、一体どこまで届くのか。その範囲を確定するためには、「花祭り」に代表される天竜川沿いに残された霜月神楽の源泉にまでさかのぼっていく必要がある。それは同時に柳田民俗学のはじまりに位置づけられる『石神問答』と折口古代学の一つの帰結として位置づけられる「大嘗祭の本義」に一つの総合を与えることにもなるだろう。「花祭り」をもたらした修験の徒たちは、どこから来てどこへと向かったのか。「熊野」から来て「諏訪」へと向かったのだ。『花祭りの起源』[3]（二〇一二年）と『「花祭り」の意味するもの』[4]（二〇一五年）を相次いで刊行した山﨑一司は、そうまとめてくれている。

天竜川は諏訪湖を源流として太平洋にそそぎ出る。山上の聖なる湖と果てしもなく広がる大洋を、長大にうねる一つの大河が一つに結び合わせているのである。山と海を川がつなぐ。そうした構造は「島」の典型的な在り方でもあり、無数の島々からなる列島日本をそのまま体現し、象徴するかのような構造でもある。海から山上の聖なる湖へと向かう険しい道を往き来していたのが「熊野」の修験者たちであった。世阿弥の夢幻能の一方の主人公（ワキ）である「諸国一見の僧」も、その多くが修験者であり、「熊野」に関係している。出発点である「熊野」は、世阿弥や禅竹の故郷である「大和」（奈良）をそのなかに含み、天皇の起源である「伊勢」をそのなかに含む。それでは終着点である「諏訪」には一体何があるのか、あるいは、一体誰がいるのか。「諏訪」には「神憑り」によって生まれる原初の王がいた。神が人になり、人が神になる「現人神」（あらひとがみ）がいた。「諏訪」には、正体不明のミシャグジ神――石の神にして蛇の神――の憑依によって生きたまま神になる、つまり「現人神」となる一人の少年王、「大祝」（オオハフリ）がいた。ミシャグジ神とは、『石神問答』で柳田國男が主題とした、記紀神話の圏外に存在する無数の小さな神々、さまざまな境界に立てられる石――ある場合には男根状の石棒――によって体現される神を代表するものだった。蛇の神もまた、おそらくは古代の大和朝廷とは対立関係にあったと推定される出雲系の神社に特有のものであった。能と関連の深い奈良の大神神社、春日若宮の祭神も蛇（子蛇）である。また幼き「現人神」として即位する「大祝」の儀式は、「花祭り」の基盤となった大神楽に設営された「白山」の儀式と類似する。神楽を執り行う者たちは、人々が生まれ清まる、つまり死と再生を体験するために籠もる「白山」を「真床襲衾」（マドコオフスマ）と称していた。「真床襲衾」に包み込まれ、蛇が脱皮するようにして肉体的な死から甦る王とは、折口信夫が「大嘗祭の本義」で幻視した、古代の即位式における天皇の姿そのものである。

宮坂光昭によって整理された、諏訪大社（上社）における「大祝」の即位式は、次のような一連の儀式からなる（『御柱祭と諏訪大社』[5]一九八七年）。聖域の神殿の前、柊の木の下に「石」がある。石のまわりには垣がめぐらされ、美しく装われた少年がそのなかに入り、石の上に着座する。柊の木に降ろされたミシャクジ神はまず石に宿り、次いで少年に憑けられる。少年は気を失い、神憑りし、「大祝」となって蘇生する。聖なる樹木と聖なる石が、人が神へと変身するための野生の舞台となる。世阿弥は能のはじまりに天の岩戸神話の「神憑り」を位置づけている（前出『風姿花伝』）。折口信夫は神楽の本質は「鎮魂」にあると説いていた。折口のいう「鎮魂」は、強烈な力をもった霊魂を憑依させること、あるいは憑依させる技術を意味していた。「翁の発生」の起源、「翁」と「荒神」の起源には、「憑依」によって人が神になるという異常な事態があった。

　来たるべき祝祭学は、そうした憑依の諸相、芸術の起源にして権力の起源を探る学になるはずだ。そしてその学が踏査しなければならない領域はこの列島に限られない。列島から半島を経て大陸へ。いわゆるシャマニズム文化圏全域が、その対象に含まれる。シャマニズムは狩猟採集社会、農耕社会、遊牧社会に共通して見られ、さまざまな宗教を「習合」する。「習合」を経ることによって「原型」が立ち現れる。来たるべき祝祭学は、純粋な起源を探る学になるのではなく、「習合」の果てにはじめて立ち現れてくる「原型」

を探る学にならなければならない。柳田國男の民俗学も折口信夫の古代学も、列島に固有の信仰ではなく、原型としてあらわれる列島の信仰を探る学として再構築されなければならない。

起源は過去にしか探ることはできないが、原型は未来に探ることができるからだ。そう言った意味で、来たるべき祝祭学、「東方哲学」は、文字通り、未来の学となるのである。

3 「国栖」をめぐって

私の旅は、折口信夫の古代学、特にその芸能論が集大成された「翁の発生」（『古代研究』民俗学篇1）を導きの糸として、能楽の「翁」の起源を探ることに集約されつつある。世阿弥の娘婿で、中世的な「翁」の論を『明宿集』で完成した金春禅竹は、はじまりの「翁」を、列島の最古の歴史の書たる『日本書紀』――『古事記』が再発見され再評価されるのは中世以降、特に近世のことである――にあらわれ、天の神の子孫、天孫たちにそれぞれの目的の地を指し示す「塩土の翁」（「塩土老翁」）としている。「翁」は「王」の守護神としてあった。『日本書紀』で最も分量を使ってその生涯の軌跡が記されているのは、壬申の乱の勝者にして、現実においても、あるいは、フィクションとしての歴史においても、古代天皇制の完成者として位置づけることが可能な天武である。『日本書紀』は、天武の妻、持統の治世をもって閉じられる。この古代天皇制の完成者である天武、さらには『日本書紀』において古代天皇制のまさしく起源に位置づけられる初代の天皇たる神武のいずれもが、「帝王」として即位する際、つまりは「帝王」としての条件を満たす際、吉野の「国栖」（くず、くにす）を訪れている。

「国栖」では、天武の挙兵と治世を言祝ぐために、「国栖」に住む人々の歌と舞が、いまこのときに至るまで捧げられ続けている。「国栖奏」である。残念ながら、現行の「国栖奏」は、大正期に大きく改変され、整理されてしまったものである。しかし、「国栖奏」自体の記録は古く、天皇の即位式である大嘗祭に必ず奏上されたものであった――『日本書紀』では、神武や天武と同じく、やはり古代天皇制の中興の祖といわれる応神の治世に、「国栖」の人々による最初の奏上が位置づけられている。「国栖奏」は「翁の舞」とも呼ばれており、これも古くは、天武を助けたとされる「翁」に連なる家系の者たち、「翁筋」の者たちしか舞うことができなかったという。まさに起源としての「翁」である。

二〇一六年の二月に「国栖奏」を見学し、同じく五月に、広くこの「国栖」の地全域にわたってフィールドワークを行うことができた（図4-8、図4-9、図4-10、図4-11、図4-12）。その調査をもとに、ここでは、天武を助けたはじまりの「翁」を主人公とし

図 4-8 「国栖奏」の様子

図 4-9 「国栖奏」の翁舞

図 4-10 「国栖奏」が奏上される浄見原神社

図 4-11 「国栖奏」に献上される田芹（謡曲では嫗が献上する）

図 4-12 「国栖奏」で献上される国栖魚（ウグイ、謡曲では翁が献上する）

た謡曲「国栖」の分析を中心に、芸能の発生にして権力の発生に直結する「翁」の諸相を明らかにしてみたい。

＊

天武が再起のために隠棲した吉野の宮は、現実の世界からは切り離された別天地、異界にして他界であった。流浪の皇子は、地上に実現された天上の楽土で、野生の山の神、川の神に祝福されて、言葉の真の意味で「帝王」として再生する。その「帝王」を支え、その力となり、「帝王」をこの国の真の支配者としたのは、山岳地帯を縦横に駆けまわることのできた山の民、川の民たちであった。彼ら、彼女らは、定住する農耕の民とは異質の生活形態をもった、遊動する狩猟の民であった。

平地の民、農耕に従事する者たちから見れば、山地の民、自在に山に入り川に入り野生の生命そのものを獲得してくる狩猟の民は、同じ人間だとは思われなかったはずである。平地の農耕民たちは、山人たち、山の民にして川の民を、太古の狩猟採集民族の血を現在にまで伝える異形の存在、「土蜘蛛」にして「国栖」と称した。「国栖」たちが秘めている野生の力、自然の力を借りなければ、真の王となることはできない。天武は、自らを自然の王にして野生の王、すなわち「天皇」と名乗った。「天皇」の起源としての神武は、天武の反復として可能になったはずである。つまり、おそらくは天武の事蹟が起源へと投影されたために、神武もまた東征の途中に、わざわざこの「国栖」を訪れなければならなかったのだ。

天武によって、フィクションとしての王と現実としての王が一つに重なり合う。「天皇」の仮構された起源と、「天皇」の現実の起源。それを、さらに意識的に反復しようとした者が現れる。鎌倉幕府を滅ぼし、室町幕府に追われ、天武と同様、やはり流浪の身となった後醍醐である。後醍醐は、神武のように、天武のように、中世にまで生き延びてきた山の民と川の民、「悪党」たちの支援を受けて、吉野に「異形の王権」を打ち立てる（網野善彦その他の所論による）。そして、そこで「天皇」の理念をより純粋化し、尖鋭化する。

「翁」を起源とする能楽が大成されるのは、後醍醐の時代以降のことである。「翁」の一つの源泉と推定される謎の神、魔多羅神の面を伝える多武峰も、世阿弥の息子である元雅が翁面を奉納した天河も、後醍醐が打ち立てたもう一つの王朝、「異形の王権」たる南朝と深い関係をもっていた。

それゆえ、「流され王」の物語の起源、天武と国栖、天皇と野生の山人たちとの関係もまた能楽の作品そのものとなっている。謡曲の「国栖」である。作者については、現在に至るまで不明とされている。能楽の古型を伝えているとも、また、後世になってまったく改変されてしまったものだとも、いわれている。ただ、その主題、その典拠は、おそらく「万葉」の時代、柿本人麻呂の歌にまでさかのぼることが可能である。人麻呂は、高らかに天武の治世を褒め讃える。山の神と川の神、その僕（しもべ）である山の民と川の民が、土地のもつ野生の魂そのものであり、土地のもつ野生の力そのものである「贄（にえ）」を献上することで、王は、あたかも「神」のような存在となる。野生の力が王を神とする。謡曲「国栖」は、そうした帝王誕生神話を、そのまま舞台化した作品だった。

まず舞台に立ち現れるのは、従者たちにともなわれた、幼子としての天皇である――能の舞台では、流離する貴種はそのほとんどが子方によって演じられ、多くの場合、これもまたそのほとんどが、わずかな言葉しか発しない。兄である天智の息子、大友の皇子との皇位継承争いに敗れ、吉野に逃れ、山中を彷徨し、ようやく吉野川沿いにある貧しい家に落ち着いた、後に天武として即位する大海人の皇子こと浄御原の天皇。その皇子がかくまわれている家の持ち主である翁と嫗は、遠く舟の上から、貧しいわが家の上に彗星のような星が燦めき、そこから紫の雲がたなびいているさまを目にする。翁と嫗は貴種たる王が、わが家を訪れていることを知る。

舟を漕ぎとめて、わが家に戻った翁と嫗は、その貴人が、浄御原の天皇であることを知る――天武を祀り、現在でも毎年、天武を歓待した「翁」の筋につらなる人々によって「国栖」の舞が奉納されている浄見原神社は、大きく蛇行する吉野川に面し、その吉野川を遥か下に望む切り立った崖の上の「岩窟」にある。野生の王が即位する野生の舞台にふさわしい場所である。翁と嫗は、王の従者からの懇願に応えて、嫗は山で摘んだ「根芹」を、翁は川で捕らえた「国栖魚」を、王への「御供御」に捧げる。山の神にして山の民が山の幸を、川の神にして川の民が川の幸を、ともに死に瀕した幼い王に捧げ、力に満ちた新たな帝王として復活させるのだ。謡曲「国栖」の地謡では、翁と嫗によるこうした行為こそが、「吉野の国栖」――国栖の里に住む人々が、宮中の元日の節会に参賀し、風俗（国栖の舞）を奏し、その地でとれた珍しい産物を献上すること――のはじまりであると語っている。天武は、山人たち、狩猟民にして芸能民でもある人々の庇護のもとではじめて真の帝王として即位することが可能になった。天武は、芸能者たちの王でもあった。

やがて、翁と嫗のもとに大友の皇子の追手たちが迫る。責め立てる追手たちに対して、翁は、こう言い放つ——私は、ここで、漁をして暮らしを立てている者だ。漁師の身にとっては、舟を捜されるのは家を捜されるのと同じこと。外の者たちが土足で踏み込んでくるのであれば、それなりの覚悟がある。この老いた身を賤しいと思うだろうが、ここで、私は、人が憎いと思うほどの力をもっている者でもある。私に従う孫や曾孫たち、多くの子孫たちもまた存在する。私に従う者たちよ、山々や峰々からここへ出で来て、この外から来た狼藉者たちを討ち留めよ、討ち留めよ。

「翁」は、山人たちの長でもあった。自分たちがこれまで守ってきた聖なる山の秩序、そのテリトリーを侵害するためにやって来た無礼な侵入者たちに対して、山人の長たる「翁」は、その聖なるテリトリーのなかに隠れ住んでいた無数の山の民、川の民たちを糾合し、立ち向かい、追い払う。おそらく、ここに描き出された情景こそ、天武と「国栖」の人々との間に結ばれた関係性を、最もよく説明するものだったはずだ。この列島に真の帝王が即位するためには、権力の内部ではなくその外部——空間的にいえば辺境、時間的にいえば古代——の力と直接触れ合う必要があったことを示してくれている。

しかしながら、謡曲「国栖」が重要なのは、それだけではない。天武の即位を支えた外部の人々、聖なる山に棲む山人たち、山の民にして川の民たちが、この後、どのような人々に変身していったのか、あるいは、どのような人々に率いられていったのかをも、明らかにしてくれるからだ。天武の窮地を救った翁と媼は、そこでいったん舞台を去る。しかし、すぐにまた、華麗な変身を遂げた姿で舞台にふたたび登場してくる。媼は「天女」として、翁は、聖なる山の荒ぶる力を体現した「忿怒」の神にして「降魔」の神、全身を「青黒色」に光輝かせ、振り上げた右手には煩悩を打ち砕く聖なる武器「三鈷」をもち、右足を高々と上げるとともに左足で大地を強く踏みしめた吉野修験の守護神にして根源神、巨大なる「金剛蔵王権現」として。

「蔵王」は、自らのなかに「王」を蔵している山をあらわす。聖なる王は、聖なる山から生まれ、その山のなかに蔵されていた。自然と共生し、自然から野生の力を汲み上げることで生活を成り立たせていた山の民、川の民たちは、聖なる王に率いられ、修験の徒へと変貌を遂げてゆくのだ。修験の徒はまた芸能の徒でもあった。大地の荒ぶる力を造形化することと。それが古代から中世にかけて、聖なる山のなかで育まれてきた、この列島に固有の技術にして芸術の核心だった。

修験道は、東アジア最先端の宗教である道教の教えにもとづいて可能になったと推定されている。列島の時間的な外、古代の「国栖」と、列島の空間的な外、道教の「国栖」が一つに重なり合う。そこに芸能を刷新し、権力を刷新する激烈な力が解き放たれる。

4 「如来蔵」の哲学──折口信夫の「古代」と鈴木大拙の「霊性」が出逢う

私は、これまで、民俗学者にして国文学者であった折口信夫の営為を研究の軸に据えてきた。折口信夫が為したことを知るためには、二つの地平、二つの次元から考察を進めることが必要不可欠となる。一つは、折口が生まれた「近代」という時代であり、もう一つは折口が探究した「古代」という時代である。ただし、折口にとって「古代」とは、時間的かつ空間的に、現在とは隔絶した歴史的な過去を意味するわけではない。折口にとって「古代」とは、いまここで、時間と空間が生み落とされる──正確に言えば「再生」される──発生の場を意味している。「発生」はつねに繰り返され、その度ごとに始原の時間にして始原の空間がその姿をあらわす。折口は、この極東の列島において、時間と空間を再生する、つまりは「発生」させる技術にして芸術を、「芸能」と捉えた。

「芸能」を担った人々が行っているのは、一体どのようなことだったのか。折口は、時間と空間の差異を乗り越えて、伝統的な芸能を現在に伝えてくれている人々の間に、果敢に飛び込んでいく。フィールドワークに入っていく。そこで折口が見出したのは、祝祭の場で、人間は、人間を超えた存在、すなわち「鬼」にして「神」、森羅万象あらゆるものを破壊することで再生させる、激烈な力を解放する存在に変身することができるという理論にして実践であった。

折口にとっての「古代」は、そこにあった。そのような技術にして芸術を磨き上げてきたのは、「修験」と総称される、聖なる山に籠もることによって心身を鍛え上げ、超越的な能力を身につけた宗教者にして表現者たちであった。折口が、フィールドワークの特権的な対象とした天竜川流域、山深い三信遠――三河（愛知）、信州（長野）、遠州（静岡）――の境界で現在でも行われている「霜月神楽」、花祭り、雪祭り、西浦田楽は、いずれも、修験の徒がその地にもたらし育んできた「芸能」であった。その前後関係、影響関係はいまだ不明であるが、現在でも能楽のはじまりに演じられる「翁」も、また修験と深い関わりを持っていた。

神楽を生み出し、能楽の「翁」を生み出した「修験」の理論と実践は、中世の神仏習合期に確立され、その淵源は、少なくともこの列島に伝わった起源の神話を集大成した最古の「書物」、最古の歴史書たる『古事記』および『日本書紀』にまでさかのぼることができる。しかし、「最古」とはいっても、これらの歴史書が編纂されたのは、紀元八世紀の初頭、いわゆる古代から中世への転換期、古都である奈良が成立し、そこから新都への遷都が模索されていた時期であったわけであるが……。折口古代学の一つの極限（リミット）は、紀元八世紀に位置づけられる。そして、この紀元八世紀（より正確には八世紀末から九世紀初頭）にこそ、後に神仏習合を可能にする大乗仏教の新たな展開、大乗仏教の新たな潮流が極東の列島に一気に流れ込んできた時代でもあった。最澄によって天台宗が確立され、空海によって真言宗が確立された。

最澄と空海は互いに認め合い、しかしながら不可避的に対立し合い、最終的には訣別する。ということは、両者は共通する認識の基盤の上に立っていたということである（そうでなければ、互いに認め合うことも対立し合うこともできないであろう）。両者に共通する認識の基盤は、旧都である奈良に花開いた仏教とは異なっていた。だからこそ、両者がひらいた宗派は、この後、互いに対立し合いながらも、互いに浸透し合い、新たな都の新たな仏教の主流となっていったのだ。最澄と空海に共通するもの――それは、仏教の東アジア的展開のなかで生み落とされた「如来蔵」の哲学である。「如来蔵」の哲学は、ヒマラヤの山麓に生まれた仏教思想が、千年という膨大な月日を経て変容し、各地の要素を習合していった果てに出現したものである。それゆえ、現代においても、「如来蔵」の哲学を仏教思想とは認めないと主張する人々も多い。しかしながら、「如来蔵」の哲学がなければ、神仏習合は可能にならなかった。日本的な「霊性」は可能にならなかった。

それでは、神仏習合を可能にした「如来蔵」の哲学の核心とは一体どのようなものだったのか。すべての人間には、如来（仏）になる可能性が種子のように孕まれている。しかも、その「心」の奥底に。「如来蔵」の哲学、最澄も空海も依拠した『大乗起信論』（空海の場合は『大乗起信論』の注釈書である『釈摩訶衍論』）では、そう説かれていた。「如来蔵」の哲学は、仏教の始祖たる仏陀、覚りの境地に到達した一人の人間であるゴータマ・シッダッタを特別視しない。人間はすべて覚りを得られる、すなわち仏陀となり如来（仏）となる可能性を「心」のなかに、あたかも種子のように、胎児のように孕んでいるのだ。その如来としての種子、如来としての胎児を開花させるためには、人間的な汚れに染まった「心」を洗い清めなければならない。人間的な「心」を無化する——人間的な「我」を無化する——ことによってはじめて、そこに、如来としての「心」があらわれる。

「如来蔵」とは、如来の種子、如来の胎児を孕む「子宮」（蔵）であり、人間的な意識の奥底にひらかれる超人間的な如来としての「意識」（蔵）である。有限の存在である人間のなかにこそ、無限の存在である如来となる可能性が秘められているのだ。「如来蔵」の哲学は、仏教が説く「無我」の教え、それが帰結する「空」の教えを、消滅の「空」ではなく、生成の「空」として読み替えたものであった。人間的な「我」が跡形もなくなってしまったゼロの地点は、すべての終わりではなく、すべての始まりだったのだ——「如来蔵」の哲学による、こうした「空」の捉え方こそが仏教を逸脱する教えであると、当時から現代に至るまで非難され続けているのである。

最澄は、「如来蔵」に到達するために、『法華経』をもとにして編み出された「止観」を選ぶ。空海は、客観的な『華厳経』の宇宙観を土台とし、その宇宙観を主観的に語った『大日経』および『金剛頂経』をもとにして編み出された「曼荼羅」を選ぶ。「止観」は、人間と仏、有限と無限の対立を、相矛盾したまま一つに結び合わせる方法を説く。「曼荼羅」は心の奥底に存在する仏から万物の流出、無限から有限の段階的な流出を可能にする方法を説く。「止観」からは「禅」と「念仏」が生み落とされ、最澄は、さらにそこに空海がはじめてこの列島に将来した「曼荼羅」、すなわち「密教」を統合しようとした――「密教」とは、言葉にすることができない「秘密」(神秘)の体験、すなわち「曼荼羅」を介して、人間と仏の合一を説く教えである。

有限と無限の対立と合一。空海は真言宗を完成し、最澄は天台宗を未完成のまま後代に託した。最澄の教えを受けた者たちは、「禅」と「念仏」とともに、さらにそこに「密教」を取り入れる。「止観」と「曼荼羅」に一つの総合を与える。人間のみならず森羅万象あらゆるものもまた「心」をもち、そこに如来となる可能性、覚りへと至る可能性を種子のように、胎児のように孕んでいるのだ。森羅万象あらゆるものは、そのあるがままで如来であり、覚りをひらいている。最澄がひらいた比叡山において、「禅」と「念仏」と「密教」、「止観」と「曼荼羅」が一つに融合し、一つに総合されることで形になった教えを「天台本覚思想」という。「天台本覚思想」は、有情の人間のみならず、非情の草木あるいは国土までもがすべて仏（如来）となることができる、しかも、そのあるがままに、と説いていた（「草木国土悉皆成仏」）。

「天台本覚思想」は、大乗仏教の東アジア的な展開である「如来蔵」の哲学が、この極東の列島に根付き、さらなる変容と習合を遂げることで生み出された。「修験」の実践を理論としてまとめ上げ、それを「芸能」として表現することを可能にした。人間は、あるいは森羅万象あらゆるものは、自らの「心」のうちに人間を超えたもの、森羅万象あらゆるものを産出する生きた源泉を種子のように、胎児のように孕んでいる。それゆえ、人間は、人間を超えたものに、森羅万象あらゆるものに変身することが可能になるのだ。折口信夫が「芸能」に見出した変身の論理は、「如来蔵」の哲学が可能にした。そして、この「如来蔵」の哲学は、折口信夫の「古代」を、折口信夫の「近代」に直結させる。

　折口信夫は、大阪の浄土真宗門徒の家に生まれた。地元に決められていた志望校を急遽変更して上京、國學院大學に入学した若き折口は、やはり同じく浄土真宗門徒の家に生まれ、僧侶の資格を持った九歳年上の藤無染という男性と共同生活をはじめる。藤無染は、当時アメリカに渡り、大乗仏教のもつ現代的な可能性、ヨーロッパの哲学とは異なったもう一つの哲学の可能性を、英語を用いて精力的にまとめ発表していた鈴木大拙からの大きな影響を受けていた。鈴木大拙は、精神と物質、主観と客観、有限と無限の対立を乗り越える方法を、『大乗起信論』に説かれた「如来蔵」の哲学に見出した。大拙は、『大乗起信論』を英語に翻訳し(一九〇〇年)、その成果を英文で書き上げた書物、『大乗仏教概論』に結晶させる(一九〇七年)。そこで鍛え上げられた自らの方法を、後に大拙は「霊性」と名づける。

若き折口信夫は、鈴木大拙が仏教に由来する「霊性」という言葉であらわした、相対立する二つの極の矛盾と合一を、より神道的な「憑依」という言葉で読み替えていく。「憑依」もまた、人間を神に、有限を無限にひらく方法であった。極東の列島に伝えられた「芸能」は、「憑依」によって人間の持つ「如来蔵」を万物にひらき、万物と交歓させるのである。折口信夫の「古代」と鈴木大拙の「霊性」は、「如来蔵」の哲学を介して一つに重なり合う。その地点から、井筒俊彦の思想が生まれる。

井筒俊彦が自ら「私の無垢なる原点」と記す『神秘哲学』(一九四九年)は、プラトン、アリストテレス、プロティノスと続くギリシア哲学の起源に、舞踏の神にして陶酔の神でもあるディオニュソスの「憑依」を位置づけたものだった。ディオニュソスに憑依された女たちは、ディオニュソスを体現する聖なる獣に襲いかかり、生のまま貪り喰らう。その瞬間、人間と獣と神は一つに混じり合う。森羅万象あらゆるものが一つに融け合う。野生の「憑依」から森羅万象あらゆるものの根源、「イデア」を探究する光の哲学が生み落とされたのだ。

そして、その井筒俊彦が文字通り生涯の最後に書き上げたのが、『『大乗起信論』の哲学』というサブタイトルが付された『意識の形而上学』（一九九三年）であった。万物を一つに結び合わせる「憑依」によってあらわにされたのは「如来蔵」としての「心」であり、それこそが宇宙の真理、「真如」であった。井筒は「如来蔵」としての「真如」を、ギリシアのイデアと、さらにはイスラームの神（イランの存在としての神）と等しいものとする。ここにおいて「東方哲学」は完成する。神道と仏教と一神教は一つに総合される。

鈴木大拙も折口信夫も井筒俊彦も、古いテクストをまったく新しく読み直した。鈴木大拙、折口信夫、井筒俊彦と続く、そのような創造的な「解釈学」の系譜にこそ「東方哲学」のもつ最大の可能性もまた孕まれているのだ。

5 「東方哲学」の樹立に向けて

私は、自分が行っている批評を、「解釈学」であると考えている。そして私がこれまで思索の対象としてきた鈴木大拙、折口信夫、井筒俊彦もまた、仏教、神道、イスラーム（一神教）を対象とした卓越した解釈学者であったと捉えている。解釈こそが新たな創造につながる。解釈は分断されたさまざまな分野、芸術と宗教と哲学、あるいは仏教と神道とイスラームを一つに結び合わせることができる。

解釈は自分勝手な創作ではない。現在に至るまでの膨大な時間が積み上げられてかたちとなった、身体技法や言語化不可能なイメージ創出法を含めた広義の「テクスト」を読み抜いた果てにはじめて可能になるものだ。伝統を母胎として革新に至る。解釈において伝統と革新は矛盾しない。否、その両者を最も創造的に融合できた者こそが卓越した解釈者となれるのである。

鈴木大拙、折口信夫、井筒俊彦は、あくまでも近代人として、近代的な方法を用いて、自らがその核心と考える仏教、神道、イスラームの教えを解釈していった。そしてそこに自らに固有の、あるいはわれわれが生を享けたこの極東の列島に固有の、宗教的な「体験」の諸相を、独自の表現として結晶化させた。いずれも、言葉にできない体験、すなわち「神秘」の体験、「秘密」の体験を通して、有限の存在（この「私」）が、無限の存在（仏教の如来、神道の神、イスラームの神）と合一を遂げるというものである。

鈴木大拙は、そうした体験をもたらしてくれる原理として「如来蔵」という理念を再発見する。折口信夫は「産霊（ムスビ）」という理念を、井筒俊彦は「存在」としての神あるいは「無」としての神という理念を、再発見する。いずれも、仏教の中世的な展開、神道の中世的な展開、イスラームの中世的な展開からかたちになった特異な理念にして概念である。いずれもまた、古代のテクストを最も尖鋭的かつ創造的に解釈することで成ったものである。それゆえ、ただ伝統にのみ固執する仏教の正統派、神道の正統派、イスラームの正統派からは、中世においても現代においても、異端視され続けたものでもあった。異端視されながらも、この極東の列島の環境に見事に適応するように根付き、変容し、現代に至るまでその思想的かつ実践的な可能性を伝えてくれているものでもある。

「如来蔵」「産霊」「存在」——仏教の、神道の、イスラームの中世的かつ東方的な展開のなかで可能になった理念であり、同時にまた過去から未来を生み出す、来たるべき「東方哲学」を可能にする三つの理念でもある。「如来蔵」は、森羅万象あらゆるものに孕まれている如来となる可能性、仏になるための種子を意味している。「産霊」は、森羅万象あらゆるものに霊魂を付与し、生命を発生させる神道的な神の根源にして根源の神を意味している。「存在」としての神、「無」としての神は、そこから「一」なる神を生み出し「多」なる森羅万象に展開していく、やはりイスラーム的な神の根源にして根源の神を意味している。「如来蔵」は、「産霊」は、「存在」にして「無」の神は、いずれも、自然そのものが持つ産出原理を体現するものであった。そして、中世の仏教徒、神道教徒、イスラーム教徒たちは、いずれも、そうした自然の産出原理として存在する至高者にして根源者を、自然から超越させるのではなく、自然に内在させた。すなわち、森羅万象あらゆるものを産出する神即自然にして自然即神と考えた。「如来」は、「産霊」は、「神」は、自然そのものであり、存在そのものであった。

そのような至高にして根源的な存在者は、われわれから遠く隔てられたものではない。われわれの最も近く、「心」のなかに孕まれているのだ。その「心」から、われわれの精神も、また、われわれの物質的な身体も、同時に産出されてくる。だから、その「心」に到達するためには、精神と身体（物質）の差異を無化してしまわなければならない。自らの内なる主体と自らの外なる客体とが一つにならなければならない。そのために、中世の仏教徒たち、神道教徒たち、イスラーム教徒たちは、精神と身体の間に統一をもたらし、「心」に一気に到達するための方法にして技術を磨き上げていった。それが仏教的な静の瞑想法にして身体技法である「禅」であり、神道的な荒々しい「神憑り」であり、イスラーム的な動の瞑想法にして身体技法、羊毛を頭からすっぽりと被って唯一無二の神の名を唱え続けた果てに神との合一を果たす「スーフィー」としての体験（イスラーム神秘主義思想の極であるスーフィズム）であった。

鈴木大拙は、はじめてグローバルな視点から大乗仏教の可能性を考えなければならなかった列島最初の近代人の一人である。大拙は、「如来蔵」の思想を、近代的な科学に背馳せず、またアジアの思想の対極に位置するヨーロッパの思想、一神教に背馳しない「心」の論理として捉え直す。鈴木大拙が後に「禅」の体験（純粋経験）としてその体系を整えた、主客の区分を無化し主客が合一する境地を、折口信夫は神道的な「神憑り」に見出した。鈴木大拙からは間接的に、折口信夫からは直接的に、「禅」あるいは「神憑り」のもつ可能性を学んだ井筒俊彦は、それらをイスラーム神秘主義思想として一つに総合しようとする。鈴木大拙が最初に選び、井筒俊彦が最後に選んだ、東洋思想をメタのレベルで統一する可能性をもつものこそ、「如来蔵」の思想を過不足なく述べた『大乗起信論』であった。解釈の輪は連鎖し、それが世界にひらかれたのだ。

鈴木大拙は「禅」を通して「如来蔵」に、折口信夫は「神憑り」を通して「産霊」に、井筒俊彦は「スーフィズム」（スーフィーたちの手法）を通して「無」にして「存在」としての神に、到達しようとした。すなわち、主客の区分を無化し、主客を合一させる方法を通して、主客つまりは精神と物質をともに生み出す存在（自然）の根底にして根底の存在（自然）である「心」そのものに到達しようとしたのだ。

そうした探究の果てにひらかれる「心」は、人間のみならず森羅万象あらゆるものに共有されている。それゆえ、森羅万象あらゆるものは相互に結ばれ合い、相互に変身し合う。「心」から森羅万象あらゆるものの生命が発生し、そこでは無限の意味、無限の形態、無限の色彩、無限の音響、つまり無限の諸感覚が互いに響き合い、互いに融け合っている。中世の仏教徒たち、神道教徒たち、イスラーム教徒たちは、言葉を通して、あるいは形態を、色彩を、音響を通して、「心」から生じてくるものたち、生命の交響にして「心」そのものである風景を、自らの身体が秘めている可能性のすべてを用いて書物として、彫像として、絵画として、音楽として表現し、定着しようとした。

宗教の発生は芸術の発生に通じているのである。しかも、その「発生」は遠い過去に一度限り生起したものではない。「心」を持つこの「私」が、「心」の根底に到達しようとする度ごとに生起してくるものなのだ。「発生」が反復される度ごとに、差異をもった新たな生命が、新たな芸術が、生起してくる。私にとって「批評」という解釈学が、芸術人類学という新たな学問と接合されるのは、そうした宗教の発生にして芸術の発生が一つに重なり合う地点において、である。

換言すれば、私は「批評」という解釈学を通して、宗教の発生にして芸術の発生に到達することを絶えず試みている。それが私にとっての「東方哲学」、すなわち芸術人類学の核心である。

＊

「如来蔵」の思想がこの列島に本格的に導入され、定着したのは、中世を切り拓いた最澄と空海によってだった。森羅万象あらゆるものは「如来蔵」にして「仏性」、仏となる可能性にして仏としての本質をもっている。それゆえ、森羅万象あらゆるものは相互に結ばれ合い、相互に変身することが可能になる。人間は、曼荼羅を観相し、曼荼羅の上に立つことによって光の産出神である如来にも闇の破壊神である不動明王にも、その身体を持ったまま変身することができる（「即身成仏」）。

それだけではない。仏教の伝統では成仏できないとされた非情のものたち、草にも木にも、あるいは国土、すなわち大地を成り立たせている無機物にさえ、変身することができる。逆もまた真である。草も木も、国土を形成するあらゆるものは皆、そのあるがままで仏となる可能性を秘めている（「草木国土悉皆成仏」）。こうした仏教における「如来蔵」の思想が遠因となって、神道の教義においてもまた、生命産出の原理が理論化され、「産霊」という概念が生まれることになった。「産霊」の神から物質の基盤であるとともに精神の基盤でもある霊魂を付与されることで、森羅万象あらゆるものに生命が芽生える。草も木も、この大地そのものも、「産霊」の神がもつ、霊魂を結び合わせて万物を発生させる力によって可能になった。

折口信夫が見続けた神楽、現在でも山深い集落に伝承され、時間と空間の境界、季節が甦る新春に、生者たちの世界と死者たちの世界が一つに交わる時空の交点で行われている神楽を成り立たせたのは、仏教の「如来蔵」の思想と神道の「産霊」の思想を創造的に総合した修験道の行者たちによってだった。神楽の舞台は、文字通り、さまざまな生命を産出する存在の子宮そのものとなる。そこでは、宇宙的なリズムを奏でる音楽、人間と森羅万象あらゆるものが発している聖なる言葉を媒介にして、精神と身体が深く共振していた。人間はあらゆるものと交信し、あらゆるものに成ることができた。芸術の発生は、生命の発生を創造的に反復するものであった。

極東の列島に伝わり、そこに根付き、大成された「心」を変容させ、「霊魂」を付与する技術にして芸術。その総体として可能になる「祝祭」。私にとっての芸術人類学は、「祝祭」を宗教の起源にして哲学の起源、さらには芸術の起源として思考していくことである。そのための導き手として、近代が生んだ独創的な解釈者たちがいる。近代の解釈者たちから中世の解釈者たちへ、さらには、そこから古代の解釈者たちへ。人類の原型として可能になった始原の宗教にして始原の哲学、始原の芸術へ。私にとって今後の課題は、そのような芸術人類学のもつ可能性、すなわち「東方哲学」のもつ可能性を、さらに時間的にも空間的にも拡大し、なおかつ深めていくことである。

1　アンリ・ベルクソン『創造的進化』真方敬道訳、岩波書店、一九七九年〔原著：一九〇七年〕
2　レーニン『唯物論と経験批判論（上）（下）』森宏一訳、新日本出版社、一九九九年、〔原著：一九〇九年〕
3　山﨑一司『花祭りの起源――死・地獄・再生の大神楽』岩田書院、二〇一二年
4　山﨑一司『「花祭り」の意味するもの――早川孝太郎『花祭』を超えて』岩田書院、二〇一五年
5　上田正昭・五来重・宮坂宥勝・大林太良・宮坂光昭『御柱祭と諏訪大社』筑摩書房、一九八七年

付記　以上の文章は、多摩美術大学芸術人類学研究所紀要『Art Anthropology』に掲載された「インド、神智学、近代仏教」（10号、二〇一五年）、「「翁の発生」の射程――来たるべき祝祭学に向けて」（11号、二〇一六年）、「神秘哲学、国境を超える東洋思想」「「国栖」をめぐって」（12号、二〇一七年）、「「如来蔵」の哲学――折口信夫の「古代」から鈴木大拙の「霊性」へ」（13号、二〇一八年）、「私にとっての芸術人類学」（14号、二〇一九年）をもとに本章のために全面的に再構成したものである。

あとがき――「芸術人類」の新たな旅

鶴岡真弓

「芸術に出会うことは、新しい智の友に出会うごときものである」という言い伝えがあります。ヒトはなぜ、かくも「芸術」に魅せられるのでしょうか。

本書の「序章」に書いたとおり、私たち人類は、どんなに科学技術が発展しても、「大自然」の慈しみと脅威の前では、裸体の「生身」であるという真理とそれは関係しています。四万年前に「ライオン・マン」(「はじめに」参照)を刻んだ先史においても、AI技術を駆使する現在でも、私たちは、動物たちよりも薄い皮膚一枚に包まれた「生身の人類」です。

しかし本書「序章」の「巨人の肩にのる小さきヒト」の金言から解き明かしたとおり、私たち人類は、危うく儚い「生きもの」である、だからこそ、「大自然」の法則に挑む科学「技術」の槌を握りつつ、もう一方の手には謙虚にその心身を磨き生きる歓びを育もうとする「芸術」という想像力と創造力をもち続けてきました。

それは科学技術の優位の時代にも、どんな困難を前にしても、手放さなかった希望をもたらす美と光の動力でした。

それでも「芸術」は何の役に立つのかと、なお問われる厳しい状況にある現代です。荒ぶる大自然の猛威によって破壊された被災地では、一刻を争い食料や医薬品が必需です。しかし、では、それによって奇跡的に救われた命や街を、そこから再び立ち上げ「育む」には、その奥の心技が必要なのです。

その心技とは、私たち人類の「死を懐(いだ)く生命」のために創造されてきた芸術です。たとえ潰(つい)えた命にさえ、そこに色や形や光や質感や音や声による表現や発現、つまり芸術・アートが、「人類の持続」を培えるのだと信じられます。

たとえば本書の第一章「爆発、丸石神、グラン＝ギニョルな未来」（「来るべき美術：自然災害の哲学――新しい「地水火風」部門）に書かれた、被災地へ向かうアートには、その試みの現在が描かれています。アーティストや芸術人類学を思考する者が、人類がもはや「帰れない現場へ」と向かうことによって、破壊された街と大地に芽生えを促すことは不可能ではないという希望を与えます。それは日本の繁栄のなかにあっても、警告として、また祈りとしてのアートを絶やさなかった、たとえば岡本太郎という存在が、ここに登場する必然があります。太郎は進歩や発展の根底にある矛盾から目を離さなかった。「太陽の塔」は進歩の祭典である「万博」に打ち込まれた、「否の一撃」であり、「爆発」すなわち「焼け跡の記念碑」と推論し、「美術批評」が芸術人類学の「開拓」となることを示唆しつつ展開します。

さて大自然に包まれながら、それによって脅威も与えられる、風前の灯（ともしび）を幾度も経験した人類は、しかし「芸術」を手放しは、しませんでした。芸術はむしろ、自ら、自然やヒトを「育む」という意思をもってその都度立ち上がってきたのでした。

その思い、覚醒は、東洋では漢字の「芸」という文字に古代から刻まれてきました。よく知られるとおり「芸」の字の冠は、植物の「草」が伸び上がる様で、「芸」の原義は「植物を栽培する」ことを指しています。この字形は、大地に土を盛り上げた形です。

ただし芸術の「芸」はそれだけの役割では終わりません。「芸術」の奥義は、自然のものに「手を加えて調える」＝「工作」にあります。つまり「育む」ために、ヒトは自然の成長を見守りながら、意思をもって「刈り」、「調える」妙技を打ち出します。それによって初めて草木は、花は、光のように、より美的な姿や音声へと成長していく。「自然」を愛でるだけではなく、その感動によって、人類は手を差し伸べてきました。その方法が「芸術」と呼ばれるものです。

いいかえれば「芸術」は、近代「科学」のように果敢に「自然」を分解・分析して切り刻んで挑む方法・思考とは逆に、「自然」を桜守りの童子や翁のように見守りながら、そこに最低限の、しかし「最高に妙なる技・術」をもって「かたちを調える・造る・施す」のです。

本書、第三章の「野外をゆく詩学」部門では、言語芸術を「エアー・ランゲージ」として、大宇宙の時空へと「開いていく」試みが語られています。それは人類がもった最初の音声や言葉が、大自然の呼吸と交流し、「空中」で再生を繰り返していく。詩人としての人類から始まった、いま最前線の試みがおこなわれていることを、読者はここに「聴く」ことができます。そこに至るまでに、言葉が「音楽」「美術」そして「メディア」における表現の創造であることを、現代に改めて覚醒させ、バシュラールや古代の原子論をとおして、書物芸術の根源に「物質性」が潜んでいることを洞察します。紙に結晶する一滴のインクは、人類以前と人類の言語文明が、宇宙自然を構成する物との交点に開花し書物を息づかせてきたことを説き、宇宙へと開く詩学のダイナミズムを論じています。

人類の「芸術」、「芸」と大自然は、太古からの時を経て、「思想」を生み出していきました。

それは本書の第四章「「東方哲学」の樹立に向けて」(「贈与と祝祭の哲学」部門)におい

て果敢に論じられています。極東の日本には、その古層から変容的に創造されてきたアジア、ユーラシアの「祝祭」が息づき、列島をつらぬく祝祭・信仰・思想こそは、大自然に対して人類が、畏みながら、差し伸べる「芸・能」の根源を示すものとなります。荒ぶる大自然を畏敬する人類。その聖なる場所に顕現する神々・精霊と人との交流から祝祭的「思想」の系譜が、アジアの日本列島で再創造されることが、解き明かされるのです。最澄と空海以来、日本列島には、森羅万象が相互に結ばれ変身するとする仏教思想とともに、「産霊」の力によって「あらゆるものに生命が芽生える」という神道の教義が広まった。それを顕現させる「祝祭」を宗教・哲学・芸術の起源として捉え、近代が生んだ「解釈者」を導きとして、「東方哲学」の樹立による、芸術人類学の可能性を力強く示しています。

本書の第二章「ホモ・オルナートゥス：飾るヒト――分節されない皮膚」(「ユーロ＝アジアをつらぬく美の文明史」部門)では、人類が「死からの再生」を願い、数万年以上前から衣食住の意匠や墳墓にまで表し続けてきた「装飾」芸術を人類史のスパンと現在までに読み解きました。「装飾・オーナメント・デコレーション」は、余白の二次的な埋め草ではなく、その逆の「祈りのアート&デザイン」であったことを、二〇世紀の装飾が沸騰した「アール・デコ」、先住の人々の「シベリア」の魚皮衣、近代デザインの父「モリス」の壁紙をとおして、西洋の覇権とモダニズムによって分断されていった世界に抗する「分節されない皮膚」を論じました。死者に花を手向けた最初の人類の思惟は、現代にわき立つ「オーナメンタリズム：装飾主義」の新たな創造に繋っています。

これら芸術人類学研究所において推進されてきたプロジェクトから生まれたのが、本書の「芸術人類学講義」です。そこに通底するのが、「根源からの思考」にして「根源への思考」です。

「根源」とは、歴史の古層に隠され動かないものではありません。その逆に、私たちの「生きている現在」の活動と覚醒の杖（ロッド）によって、あのシェークスピアの「テンペスト」の嵐が巻き起こされるように、古層から噴出し、世界に「生命循環」を再び起こす質量のことです。

それは熱量と、風と水、そしてなにより、人類が立ちつづける土・地の力という地水火風の自然のエレメントを変わらぬ濃度で含有しているものです。本書に触れる読者が、この芸術人類学講義から、その「根源」からの生命循環に触れ、自らさらなる循環のロッドを展開されんことを願うものです。

＊

多摩美術大学「芸術人類学研究所」は、東京の西部、八王子の鑓水の丘に二〇〇六年に誕生しました。以来、本邦初の芸術人類学研究所として、内外の研究教育機関と交流をつづけ、学生と一般の方々に開いた展覧会やシンポジウムをはじめとして、所員の協働による多数の研究会、講義、出版等を重ねてきました。

本書の「講義」の組み立ては、創設時からの内外へのフィールドワークと、二〇一三年から毎年積み重ねてきた「土地と力」のシンポジウムの成果を土台としています。

私たちは、本書で、従来の人類学では「人類＝マン」とのみ呼ばれてきた存在を、新たに「芸術人類＝マン・オヴ・アート」として捉え直しました。その試みによって「芸術／人類学」を、更に「芸術人類／学」として問うステージを提示しました。このチャレンジを可能としたのは、探究の情熱によって常に大きな刺激を与えてくださった同朋の所員・共著者のお陰です。平出隆、椹木野衣、安藤礼二の各氏に、編者として心からの御礼申し上げます。

多摩美術大学の全学、並びに初代所長・中沢新一氏、とともに、交流・ご支援いただいてきた皆様に深く謝意を表します。

研究所はその活動を支える力強いスタッフによって日々推進できるものであります。今回刻々の進行の中、大きな貢献をしてくださった有馬智子、大友真希、大西由佳の各氏に心から感謝する次第です。

最後になりましたが本書は、筑摩書房編集部・永田士郎氏の多大なご尽力と力強いお導きがなければ成りませんでした。まことにありがとうございました。編集者・今井章博氏のご協力にも御礼申し上げます。

遡れば一九七〇年代の初頭、初めてユーラシア大陸に上陸し、最果てのジブラルタル海峡から北アフリカまでに至った時から長い歳月が過ぎましたが、協働の上梓が叶った今こそ、「芸術人類」の在り処を真に探る、さらなる出航の時を迎えられる思いがします。

「生きとし生けるもの」が綾なす、根源からの一層の生命循環を祈りつつ。深謝。

二〇二〇年　白梅満開の季に

芸術人類学研究所所長　鶴岡真弓

ちくま新書

606
持続可能な福祉社会
——「もうひとつの日本」の構想
広井良典
誰もが共通のスタートラインに立つにはどんな制度が必要か。個人の生活保障や分配の公正が実現され環境制約とも両立する、持続可能な福祉社会を具体的に構想する。

659
現代の貧困
——ワーキングプア／ホームレス／生活保護
岩田正美
貧困は人々の人格も、家族も、希望も、やすやすと打ち砕く。この国で今、そうした貧困に苦しむのは「不利な人々」ばかりだ。なぜ？ 処方箋は？ をトータルに描く。

772
学歴分断社会
吉川徹
格差問題を生む主たる原因は学歴にある。そして今、日本社会は大卒か非大卒かに分断されてきた。そのメカニズムを解明し、問題点を指摘し、今後を展望する。

937
階級都市
——格差が街を侵食する
橋本健二
街には格差があふれている。古くは「山の手」「下町」と身分によって分断されていたが、現在もその構図は変わっていない。宿命づけられた階級都市のリアルに迫る。

1371
アンダークラス
——新たな下層階級の出現
橋本健二
就業人口の15％が平均年収186万円。この階級の人々はどのように生きているのか？ 若年・中年、女性、高齢者とケースにあわせ、その実態を明らかにする。

1090
反福祉論
——新時代のセーフティーネットを求めて
金菱清
大澤史伸
福祉に頼らずに生き生きと暮らす、生活困窮者やホームレス。制度に代わる保障を発達させてきた彼らの生活実践に学び、福祉の限界を超える新しい社会を構想する。

1091
もじれる社会
——戦後日本型循環モデルを超えて
本田由紀
もじれる＝もつれ＋こじれ。行き詰まり、悶々とした状況にある日本社会の見取図を描き直し、教育・仕事・家族の各領域が抱える問題を分析、解決策を考える。

ちくま新書

110
「考える」ための小論文
西研
森下育彦

論文を書くことは自分の考えを吟味するところから始まる。大学入試小論文を通して、応用のきく文章作法を学び、考える技術を身につけるための哲学的実用書。

122
論文・レポートのまとめ方
古郡廷治

論文・レポートのまとめ方にはこんなコツがある！ 用字、用語、文章構成から図表の使い方まで実例を挙げながら丁寧に秘訣を伝授。初歩から学べる実用的な一冊。

486
図書館に訊け！
井上真琴

図書館は研究、調査、執筆に携わる人々の「駆け込み寺」である！ 調べ方の超基本から「奥の手」まで、カリスマ図書館員があなただけに教えます。

600
大学生の論文執筆法
石原千秋

大学での授業の受け方から、大学院レベルでの研究報告や社会に出てからの書き方まで含め、執筆法の秘伝を公開する。近年の学問的潮流も視野に入れた新しい入門書。

604
高校生のための論理思考トレーニング
横山雅彦

日本人は議論下手。なぜなら「論理」とは「英語の」思考様式だから。日米の言語比較から、その背後の「心の習慣」を見直し、英語のロジックを日本語に応用する。２色刷。

908
東大入試に学ぶロジカルライティング
吉岡友治

腑に落ちる文章は、どれも論理的だ！ 東大入試を題材に、論理的に書くための「型」と「技」を覚えよう。学生だけでなく、社会人にも使えるワンランク上の文章術。

1352
情報生産者になる
上野千鶴子

問いの立て方、データ収集、分析、アウトプットまで、新たな知を生産し発信するための方法を全部詰め込んだ一冊。学生はもちろん、すべての学びたい人たちへ。

ちくま新書

399 教えることの復権
大村はま・苅谷剛彦・夏子

詰め込みかゆとり教育か。今再びこの国の教育が揺れている。教室と授業に賭けた一教師の息の長い仕事を通して、もう一度正面から「教えること」を考え直す。

679 大学の教育力 ――何を教え、学ぶか
金子元久

日本の大学が直面する課題を、歴史的かつグローバルな文脈のなかで捉えなおし、高等教育が確実な「教育力」をもつための方途を考える。大学関係者必読の一冊。

742 公立学校の底力
志水宏吉

公立学校のよさとは何か。元気のある学校はどんな取り組みをしているのか。12の学校を取り上げた本書は、公立学校を支える人々へ送る熱きエールである。

758 進学格差 ――深刻化する教育費負担
小林雅之

統計調査から明らかになった進学における格差。なぜ今まで社会問題とならなかったのか。諸外国の奨学金のあり方などを比較しながら、日本の教育費負担を問う。

828 教育改革のゆくえ ――国から地方へ
小川正人

二〇〇〇年以降、激動の理由は？　文教族・文科省・内閣のパワーバランスの変化を明らかにし、内閣主導の現在、教育が政治の食い物にされないための方策を考える。

1014 学力幻想
小玉重夫

日本の教育はなぜ失敗をくり返すのか。その背景には、子ども中心主義とポピュリズムの罠がある。学力をめぐる誤った思い込みを抉り出し、教育再生への道筋を示す。

1212 高大接続改革 ――変わる入試と教育システム
山内太地・本間正人

２０２０年度から大学入試が激変する。アクティブラーニング（ＡＬ）を前提とした高大接続の一環。では、ＡＬとは何か、私たち親や教師はどう対応したらよいか？

ちくま新書
1481

芸術人類学講義（げいじゅつじんるいがくこうぎ）

二〇二〇年三月一〇日　第一刷発行

編者　鶴岡真弓（つるおか・まゆみ）

発行者　喜入冬子

発行所　株式会社 筑摩書房
東京都台東区蔵前二-五-三　郵便番号一一一-八七五五
電話番号〇三-五六八七-二六〇一（代表）

装幀者　間村俊一

印刷・製本　株式会社 精興社

ISBN978-4-480-07289-4 C0239

執筆者プロフィール

鶴岡真弓【序章／第２章／はじめに／あとがき】

芸術文明史家。多摩美術大学芸術人類学研究所所長、教授。ケルト芸術文化・ユーロ＝アジア諸民族「生命デザイン」を追跡中。著書に『ケルト／装飾的思考』『ケルト再生の思想――ハロウィンからの生命循環』（筑摩書房）、『ケルトの想像力――歴史・神話・芸術』（青土社）など多数。

平出隆【第３章】

詩人、作家。多摩美術大学図書館長、教授、芸術人類学研究所所員。著書に詩集『胡桃の戦意のために』（思潮社）、小説『猫の客』（河出書房新社）、エッセイ『ベルリンの瞬間』（集英社）、『伊良子清白』（新潮社）、『遊歩のグラフィスム』（岩波書店）、『私のティーアガルテン行』（紀伊國屋書店）、評論『光の疑い』（小沢書店）、『多方通行路』（書肆山田）など多数。

安藤礼二【第４章】

文芸評論家。多摩美術大学教授、芸術人類学研究所所員。大学時代は考古学と人類学を専攻。出版社の編集者を経て、文芸評論家として活動。著書『光の曼陀羅――日本文学論』『折口信夫』（いずれも講談社）、『列島祝祭論』（作品社）など多数。

椹木野衣【第１章】

美術批評家。多摩美術大学教授、芸術人類学研究所所員。1991年に最初の評論集『シミュレーショニズム』（現、ちくま学芸文庫）を刊行。著書『後美術論』『震美術論』（いずれも美術出版社）など多数。

多摩美術大学芸術人類学研究所 部門紹介

ユーロ＝アジアをつらぬく美の文明史

従来の歴史学における古典的な「ユーラシア」の概念に対し、新たに「ユーロ＝アジア文明」の術語を提唱し、その東西を貫く――西はアイルランド、東は日本列島に至る「芸術文明」の諸相を探究。ヨーロッパの古層ケルトから、シベリア、東アジアまで諸民族集団の芸術を伝統の枠から打ち開き、「ユーロ＝アジア」ネットワークの文化間に交換され、分かち持たれる「生命デザイン＝構想の力」のダイナミズムを掘り起こす。

野外をゆく詩学

人類の純粋意識が言語を介して物質と交渉しあう際に、次元の変換が発生する現象を「ポエジー」として探究する。地上的次元では「詩的トポスとしての小さな家」に過去の精神の眼を藉り、紙の上のひそかな痕跡化において「エクリチュールとしての造本」を試み、さらに物が秘めている言語と呼応しながら「空中の本」へと飛翔する。一人と人類との不断の転換の原理を見ながら、「いまはじめて生れてくる古代」を捉えきる詩学の構想。

贈与と祝祭の哲学

南方熊楠、柳田國男、折口信夫によってかたちが整えられた「民俗学」と、鈴木大拙と西田幾多郎によって創出された「宗教哲学」の交点を探る。近代以降、世界が一元化されてゆくなかで、ユーラシアの東端、南北に広く伸びる無数の「山島」からなる列島に固有の思考方法とはいかなるものであったかを探る、これらの未知なる学問を通じて、固有であることが普遍につながる「学」の系譜を現代に甦らせる。

来るべき美術：自然災害の哲学——新しい「地水火風」

21 世紀以降の自然と文化の関係について、自然がもつ豊かさだけでなく、「地」震、大「水」、噴「火」、台「風」といった「地水火風」の〈脅威〉の側面から再考する。日本列島で過去より大規模な自然災害を繰り返してきた小地域に注目し、そうした被害の記憶や痕跡、実情と文化の果たす役割について、旧来の学問体系に収まらない 21 世紀の新しい観点から実地に根差して調査、考察していく。

主要参考文献一覧

■はじめに

アリストテレス『詩学』三浦洋訳　光文社古典新訳文庫　2019年
清水真木『感情とは何か――プラトンからアーレントまで』ちくま新書　2014年
ハンス・ベルティンク『イメージ人類学』仲間裕子訳　平凡社　2014年［原著：1935年］
ハンス・ベルティンク『美術史の終焉？』元木幸一訳　勁草書房　1991年［原著：2001年］
クロード・レヴィ＝ストロース『今日のトーテミスム』中澤紀雄訳　みすず書房　1970年［原著：1962年］

■序章

綾部恒雄編『文化人類学20の理論』弘文堂　2006年
松村一男『神話学入門』講談社学術文庫　2019年
竹沢尚一郎「フランスの人類学と人類学教育」国立民族学博物館研究報告31巻1号　2006年　pp. 57-85
フランツ・ボアズ『プリミティヴアート』大村敬一訳　言叢社　2011年［原著：1927年］
クロード・レヴィ＝ストロース『仮面の道』山口昌男　渡辺守章訳　新潮社　1977年［原著：1979年］
渡辺公三『レヴィ＝ストロース――構造』講談社　1996年

■第1章

岡本太郎著　山下裕二　椹木野衣　平野暁臣編『岡本太郎の宇宙』（全5巻）ちくま学芸文庫　2011年
ドゥニ・オリエ編『聖社会学1937-1939 パリ「社会学研究会」の行動／言語のドキュマン』兼子正勝　中沢新一　西谷修訳　工作舎　1987年［原著：1979年］
石子順造『表現における近代の呪縛』川島書店、1970年
石子順造『小絵馬図譜――封じこめられた民衆の祈り』芳賀芸術叢書　1972年

中沢厚『石にやどるもの――甲斐の石神と石仏』平凡社　1988年
椹木野衣『日本・現代・美術』新潮社　1998年
椹木野衣『戦争と万博』美術出版社　2005年
椹木野衣『太郎と爆発――来たるべき岡本太郎へ』河出書房新社　2012年
椹木野衣『震美術論』美術出版社　2017年
椹木野衣＋Chim↑Pom編『Don't Follow the Wind展覧会公式カタログ2015』河出書房新社　2015年

■第2章

ディディエ・アンジュー『皮膚――自我』福田素子訳　言叢社　1993年［原著：1985年］
ヴィルヘルム・ヴォリンガー『抽象と感情移入』草薙正夫訳　岩波文庫　1953年［原著：1908年］
アレクセイ・オクラードニコフ『シベリアの古代文化――アジア文化の一源流』加藤九祚　加藤晋平訳　講談社　1974年［原著：1973年］
エリック・R・カンデル『芸術・無意識・脳』須田年生　須田ゆり訳　九夏社　2017年
「グスタフ・クリムト――世紀末ウィーンの爛熟と光輝」『ユリイカ』2013年3月号　青土社
デヴィッド・キャナダイン『虚飾の帝国――オリエンタリズムからオーナメンタリズムへ』平田雅博　細川道久訳　日本経済評論社　2004年
ルドルフ・シュタイナー『ゲーテ――精神世界の先駆者』西川隆範訳　アルテ　2009年［原著：1905年　1909年　1918年］
鶴岡真弓『ケルト／装飾的思考』ちくま学芸文庫　1993年
鶴岡真弓『「装飾」の美術文明史』NHK出版　2004年
ポール・トムスン『ウィリアム・モリスの全仕事』白石和也訳　岩崎美術社　1994年［原著：1991年］
ジリアン・ネイラー『ウィリアム・モリス』多田稔監修　ウィリアム・モリス研究会訳　講談社　1990年［原著：1988年］
マックス・ミューラー『比較宗教学の誕生』松村一男　下田正弘監修　山田仁史　久保田浩　日野慧運訳　国書刊行会　2014年
ウィリアム・モリス　E・B・バックス『社会主義――その成長と帰結』大内秀明監修　川端康雄監訳　晶文社　2014年［原著：1893年］
アロイス・リーグル『リーグル美術様式論――装飾史の基本問題』長広敏

雄訳　岩崎美術社　1970年［原著：1893年］
アドルフ・ロース『装飾と罪悪』伊藤哲夫訳　中央公論美術出版　1987年［原著：1908年］
E・ロット＝ファルク『シベリアの狩猟儀礼』田中克彦　糟谷啓介　林正寛訳　弘文堂　1980年［原著：1953年］

■第3章

玉城徹『子規――活動する精神』北溟社　2002年
ヴァルター・ベンヤミン『ベンヤミン・コレクション 2――エッセイの思想』浅井健二郎編訳　三宅晶子　久保哲司　内村博信　西村龍一訳　ちくま学芸文庫　1996年
ガストン・バシュラール『原子と直観』豊田彰訳　国文社　1977年［原著：1933年］
ロラン・バルト『零度のエクリチュール』新版　石川美子訳　みすず書房　2008年［原著：1953年］
モーリス・ブランショ『来るべき書物』粟津則雄訳　ちくま学芸文庫　2013年［原著：1959年］
ロデリック・ケイヴ　サラ・アヤド『世界を変えた100の本の歴史図鑑』樺山紘一日本語版監修　大山晶訳　原書房　2015年［原著：2014年］
ノヴァーリス『ノヴァーリス全集 2』青木誠之　池田信雄　大友進　藤田総平訳　沖積舎　2001年
平出隆『伊良子清白』新潮社　2003年
平出隆『遊歩のグラフィスム』岩波書店　2007年
平出隆『私のティーアガルテン行』紀伊國屋書店　2018年
平出隆編著『言語と美術――平出隆と美術家たち』DIC川村記念美術館　2018年

■第4章

折口信夫『古代研究』Ⅰ―Ⅵ　角川ソフィア文庫　改版2016-2017年
折口信夫『死者の書・口ぶえ』岩波文庫　2010年
鈴木大拙『大乗仏教概論』佐々木閑訳　岩波文庫　2016年
鈴木大拙『日本的霊性』角川ソフィア文庫　2010年
井筒俊彦『神秘哲学――ギリシアの部』岩波文庫　2019年
井筒俊彦『意識の形而上学――『大乗起信論』の哲学』中公文庫　2001年

安藤礼二『光の曼陀羅――日本文学論』講談社　2008 年
安藤礼二『折口信夫』講談社　2014 年
安藤礼二『大拙』講談社　2018 年
安藤礼二『列島祝祭論』作品社　2019 年

図版一覧

2-3　左　撮影・鶴岡真弓
2-3　右　https://commons.wikimedia.org/wiki/File:Gustav_Klimt_046.jpg
2-4　https://www.loc.gov/pictures/item/2006687059/
2-5　Bernhard Salin, *Die Altgermanische Thierornamentik*, Stockholm: Washlstrom & Widstrand, 1904.
2-6　Franz Boas, *Primitive Art*, Dover Publications, Inc., 1955.（原著1927年）
2-7　左　https://commons.wikimedia.org/wiki/File:Paris_1889_plakat.jpg
2-7　右　https://artdecosociety.uk/2019/06/01/l-exposition-internationale-des-arts-decoratifs-et-industriels-modernes-1925-paris/
2-8　https://commons.wikimedia.org/wiki/File:Paris-FR-75-Expo_1925_Arts_décoratifs-pavillon_des_Galeries_Lafayette.jpg
2-9　https://commons.wikimedia.org/wiki/File:Amurrivermap.png
2-10　ジェームス・フォーシス『シベリア先住民の歴史―ロシアの北方アジア植民地1581-1990』森本和男訳　彩流社　1998年（原著1994年）
2-11　撮影・鶴岡真弓
2-12　同
2-13　同
2-14　https://www.johnlewis.com/morris-co-honeysuckle-wallpaper/p585332
2-15　https://www.finestwallpaper.com/store/p670/Morris_&_Co_-_Indian_Wallpaper.html
2-16　右　https://commons.wikimedia.org/wiki/File:Morris_Willow_Bough_1887.jpg
2-16　左　https://commons.wikimedia.org/wiki/File:Pugintile.jpg
2-17　瀬川拓郎監修『カラー版1時間でわかるアイヌの文化と歴史』宝島社新書　2019年

第3章

扉　撮影・高橋健治
3-1　一般財団法人子規庵保存会提供
3-2　増田無相筆　鳥羽磯部漁業協同組合小浜支所提供
3-3　小田原市立図書館提供
3-4　ロデリック・ケイヴ　サラ・アヤド『世界を変えた100の本の歴史図鑑――古代エジプトのパピルスから電子書籍まで』樺山紘一監修

第 4 章